講談社文庫

十津川警部 千曲川に犯人を追う

西村京太郎

JN266199

講談社

目次

十津川警部　千曲川に犯人を追う

第一章　幼女殺し

1

四月十日。隅田川で、子供の死体があがった。

六歳の女児だった。いたずらされたあと、首を絞めて殺され、川に、投げ込まれたのである。

二ヵ月前にも、上野で、五歳の幼女が殺されて、発見された。

同じように、いたずらされた形跡があり、同じように、首を絞められていた。

この事件を担当している十津川《とつがわ》警部が、二人目の事件も、指揮することになった。

第一の事件は、変質者の犯行の線で、捜査は進められているが、まだ、容疑者は、あがっていない。

被害者の名前は、清川《きよかわ》あい。公園で、友だちと遊んでいる中《うち》に、行方不明になり、翌日、死体で、不忍池《しのばずのいけ》に浮んでいるのが、発見された。

二人目の被害者は、浅草千束町《せんぞくちょう》で、喫茶店をやっている若夫婦の一人娘で、名前は、白木《しろき》美代《みよ》。

店から百八十メートル離れた友だちの家に遊びに行ったが、いつまで待っても、娘が帰って来ないので、両親は、店を放り出して、商店街を探し廻った。

しかし見つからず、警察に届けたが、翌日、殺されて、隅田川に、投げ込まれていたのを発見されたのである。

いたいけな幼女が、二人も、続けて殺されたということで、テレビは、ワイドショーで、大々的に取りあげた。

特に、上野、浅草周辺では、幼い子供を持った母親が、パニックに落ち入り、幼稚園を休む子供が、急増した。

〈変質者を洗え！〉

が、警察の合言葉になり、容疑者扱いされた男たちが、警察を非難した。

捜査本部は、犯人は、またやるだろうと考え、警戒を強めた。

その予想は当って、四月二十日、第三の事件が、起きた。

狙われたのは、浅草田原町《たわらまち》で、日本そばの店を出している新井《あらい》夫婦の次女で、六歳の新井みどりだった。

しかし、幸い、彼女は、男に、車に乗せられようとした時、激しく泣き叫んだので、男は、彼女を突き飛ばして、逃げ去った。

みどりは、男の顔を覚えていて、彼女の記憶から、犯人のモンタージュが、作られた。また、犯人の乗った車の目撃者がいて、その証言によると、その車は、シルバーメタリックのベンツだったという。

この証言を、十津川は、重視した。というのは、第二の事件の時、現場近くに、長時間停っていた車が、目撃されていて、その車は、シルバーメタリックの外車だったという証言が、あったからである。

容疑者のモンタージュは、捜査本部の黒板に、貼り出された。

若い西本《にしもと》刑事が、それを見て、

「似ています」

と、いった。

「誰と似ているんだ？」

と、亀井《かめい》が、きく。

「宗方功《むなかたいさお》です」

「誰なんだ？　そいつは」

「宗方功を、知らないんですか？」

「知らないから、聞いてるんだ」

「プロの棋士です。八段で、柴田《しばた》名人と、名人戦を争っている有名人です」

と、西本は、いった。

「私も、名前だけは、知っている」

と、十津川が、口を挟んだ。

「そんなに、宗方という男に、似ていますか？」

亀井が、今度は、十津川に、きいた。

「私も、宗方八段の顔は、よく知らないんだ」

と、十津川は、正直に、いった。

すぐ、棋士名鑑が、取り寄せられた。

宗方功八段のページを見ると、彼の顔写真と経歴が、のっていた。

確かに、顔写真は、容疑者のモンタージュに、よく似ていた。

また、三十六歳の宗方は、まだ独身で、趣味は車。今、持っているのは、シルバーメタリックのベンツＣ２８０だとも、書かれている。

宗方功の現住所は、台東区元浅草×丁目の「ヴィラ浅草」の７０１号室である。

地図で見ると、隅田川の現場にも、上野の現場にも近いのだ。

「宗方功は、今、何処《どこ》にいるんだ？　自宅マンションか？」

と、亀井が、西本に、きいた。

「確か、柴田名人と、名人戦の第一局を戦っている筈《はず》ですが――」

西本が、あまり自信のない表情でいう。

「すぐ、調べて来い！」

と、亀井が、怒鳴《どな》った。

西本は、あわてて、資料室に行き、新聞の綴《つづ》りを持って来ると、それを、一枚ずつ、繰ってみていたが、

「わかりました。明日、上山田《かみやまだ》温泉で、第一局を、戦うことになっています」

と、大声で、十津川と亀井に、いった。

「上山田というと、長野県のか？」

と、十津川が、確認するように、きいた。

「そうです。戸倉《とぐら》上山田の清涼館というホテルです」

「カメさん、行ってみるか？」

と、十津川は、亀井を見た。

「そうですね。宗方八段という男の顔を、一度見てみたいですね」

と、亀井は、いった。

2

二人は、覆面パトカーで、戸倉上山田温泉に向った。

中央自動車道を、突っ走り、諏訪湖サービスエリアで、湖を見ながら、昼食を取った。

それから、長野道に入る。

東名に比べて、車が少く、八十キロから、百キロのスピードで、快調に走る。

周辺の桜は、すでに散っていた。これから、四月下旬の連休まで、行楽《こうらく》の合い間ということかも知れない。車が少いのは、そのせいだろう。

高速を出てすぐ、上山田温泉である。

千曲川《ちくまがわ》を渡ると、「歓迎上山田温泉」の看板が、眼に入ってくる。

上山田温泉は、千曲川沿いに広がる温泉郷である。

目的の清涼館ホテルも、千曲川沿いに建っていた。

最近、地方の温泉地でも、ホテル、旅館が、巨大化していくが、このホテルも、新しく改造されて、十一階建になっている。

ホテルの玄関に車をとめると、いきなり、

〈第×期　将棋名人戦会場〉

の大きな看板に、ぶつかった。

その他に、「宗方八段激励会」の字もあったから、この上山田は、挑戦者宗方の郷里でもあるのだろう。

十津川と、亀井は、ロビーに入って行き、フロントで、

「宗方さんは、どうしています？」

と、きいてみた。

警察手帳を見せなかったので、フロント係は、将棋ファンの一人と思ったらしく、

「明日から、大事な対局が始るので、今日は、どなたにも、お会いになられません」

と、いわれてしまった。

警察手帳を見せようかと、一瞬、思ったが、まだ、容疑者として、事情聴取するという段階でもない。

それに、事情聴取が原因で、大事な対局に敗《ま》けたということになっても悪いと思い、二人は、しばらく、ロビーで、様子を見ることにした。

ロビーには、カメラを持った記者らしい人間が、五、六人、たむろしている。

五期連続して名人位を防衛し、不敗神話の持主の柴田名人が、宗方八段の挑戦を受け、初めて敗《やぶ》れるかどうかというニュース性で、社会部記者まで、取材に来ているようだった。
五、六分して、問題の宗方功が、エレベーターで降りて来た。

たちまち、記者たちが、取り囲む。

「これから、どちらへ?」

「第一局に勝つ自信は、どうですか?」

そんな質問が、浴びせられて、宗方は、勝負には触れず、

「久しぶりに、郷里に帰ったので、少し、歩いて来ようと思っています」

と、いった。

「余裕ですね?」

「いや、そんなことは、ありません。ただ、歩いてみたいだけです」

「車で?」

「ええ。車で、廻ってみようと思っています」

「S小学校のクラスメイトも、応援に来ているようですが、これから、その人たちに、会うわけですか?」

「いや、それは、対局が終ってからの楽しみにしておきます。今は、とにかく、ひとりで、思い出の場所を廻りたいのです。だから、ひとりにして下さい」

と、宗方は、いい、出口に向って、歩き出した。

その時、背の高い、若い記者が、宗方の前に立ちはだかる感じで、

「今、東京で、幼女が二人殺される事件が起きています。そのことを、知っていますか?」

と、いきなりきいた。

宗方は、戸惑いの表情で、

「僕は、将棋のことにしか興味がない。そんな事件のことは、知りません」

「しかしねえ、宗方さん。未遂で終った事件では、犯人に、車に乗せられそうになった幼女が、犯人は、あなたによく似ていたと証言している。それに、犯人の車が、シルバーメタリックのベンツだったというんです。確か、あなたも同じ色のベンツに、乗っていましたね？」

「僕は、そんな事件とは、関係がありませんよ」

と、宗方は、手を振った。

若い記者は、しつこく、粘って、

「もう一つ、質問があるんですよ。あなたは、この戸倉上山田の生れで、訛《なま》りが、残っている」

「それが、どうかしたんですか？」

「おれと行くじゃねーかと、いってみて下さい」

「何だって？」

次第に、宗方の表情が、険《けわ》しくなってきた。

それでも、その記者は、負けずに、

「おれと行くじゃねーかですよ。今でも、よく使うんじゃありませんか？　この辺の方言で、『行こう』という意味でしょう？　そうじゃないんですか。いってみて下さいよ」

と、いいながら、小型の録音器を、宗方の鼻先に、突き出した。

「詰らないことをするな！」

と、宗方は、怒鳴って、録音器を、叩き落した。

そのまま、相手を押しのけて、玄関に向う。

それを、記者が、追いかける。

十津川と、亀井が、飛び出して行って、彼を、押しとどめた。

記者は、十津川たちを睨みつけるようにして、

「何をするんだ！」

「君に、ちょっと、話がある」

と、十津川は、彼の眼の前に、警察手帳を差し出し、ロビーの隅に、連れて行った。

まだ興奮している相手を、隅の喫茶コーナーに座らせ、亀井が、三人分のコーヒーを、注文した。

「さっきの話を、もう一度、聞きたいんだがね」

と、十津川は、いった。

「幼女殺しの件ですか？」

「いや。事件のことは、よく知っている」

と、十津川は、いった。

記者は、少し落ち着きを取り戻した顔で、

「もう一度、警察手帳を見せて下さい」

と、いう。

「いいよ」

と、十津川は、自分の警察手帳を相手に見せた。

「警視庁の刑事さんか」

と、記者は、呟《つぶ》やいてから、

「じゃあ、刑事さんも、幼児殺しの件で、宗方を追って、この戸倉上山田にやって来たんですね」

「追って来たというのは、正確じゃないね。私たちは、将棋の世界をよく知らないので、宗方八段というのは、どんな人なのか、見に来ただけだよ」

と、十津川は、いった。

コーヒーが、運ばれてきた。

亀井が、それを、ゆっくり、かき廻しながら、記者に向って、

「われわれも警察手帳を見せたんだから、君の名前も、教えたまえ」

と、いった。

記者が、名刺を取り出して、二人に渡した。

〈週刊日本社　伊知地《いちじ》三郎《さぶろう》〉

「週刊誌の記者さんか」

と、十津川は、呟やいてから、

「さっきの質問に答えて欲しいね」

「おれと行くじゃねーか――ですか？」

「そうだ。あれは、何なんだ？」

と、十津川が、きくと、伊知地は、

「警察も、つかんでないんですか？」

「ああ、知らないな」

「未遂に終った事件の女の子ですが」

「新井みどりちゃんが、どうかしたのか？」

「彼女が、犯人の言葉を聞いているんです。犯人は車に誘うとき、おれと行くじゃねーかと
いってるんですよ」

「それが、この辺りの方言なのか？」

と、十津川は、きいた。

「そうです。今でも、よく使うそうです」

「しかし、六歳の幼女が、そんな方言を覚えているとは、ちょっと、信じられないがね」

と、亀井が、首をかしげた。

「僕だって、そう思いましたが、違うんです」

と、伊知地が、いう。

「どう違うんだ？」

「みどりちゃんの両親が、この近く更埴市《こうしょく》の出身で、東京に越して来たのが、二年前なんですよ。だから、夫婦の間で、この地方の方言が、よく使われていて、みどりちゃんも、それを、しょっちゅう聞いていた。だから、犯人の言葉も、パパやママと同じだと思ったらしいんですね。だから、みどりちゃんの証言は、信用がおける。そう思っていますよ」

と、伊知地は、いった。

3

十津川は、清涼館ホテルに頼んで、部屋を一つ用意して貰《もら》い、そこに落着くと、東京の捜査本部に電話を入れ、西本刑事に、すぐ、新井みどりの証言をとるように、指示した。

翌朝、朝食をすませてすぐ、西本から、連絡が、入った。

確かに、新井みどりは、犯人が、彼女の手をつかんで『おれと行くじゃねーか』と、いうのを聞いているという。

「ただ、何ぶんにも六歳の幼女の証言なので、間違いなく、犯人が、そういったのかどうかは、確信できませんが」

と、西本は、いった。

「両親が、更埴市の生れだというのは、間違いないか？」

と、十津川は、きいた。

「それは、間違いありません。二人は、どちらも更埴市の生れで、二年前まで、そちらで、生活しています。家庭では、時々、長野の訛りが出て、『行くじゃねーか』という言葉もよく、使うといっていました」

「宗方八段のことは、くれぐれも、慎重に調べてくれよ。何しろ、今は、注目の人なんだから」

と、十津川は、いった。

部屋には、地元の信濃日報が、入れられていた。

十津川と亀井は、食事のあと、コーヒーを運んで貰い、それを飲みながら、新聞に、眼を通した。

社会面には、一見、別々の記事が、同じ大きさで、のっていた。

片方は、東京で起きた連続幼女殺人事件のことだった。

もう一つは、戸倉上山田温泉で、今日から行われる名人戦の対局ニュースである。

同じ大きさで扱われ、片方は、暗い、猟奇的なニュースとして書かれ、もう一つは、明るい、お祭りさわぎとして、書かれていた。

その二つのニュースは、宗方八段によって、結びつくかも知れないのだが、新聞は、そのことには、一行も、触れていなかった。

宗方八段は、郷土の英雄として、持ちあげられている。

その生い立ちから、苦労時代、そして、名人戦の挑戦者になるまでを、劇画調で、記事にしているのだ。

その記事には、宗方功は、次のような人物として、書かれていた。

〈宗方は、昭和三十六年三月十六日、長野県上田市で、そば店の長男として、生れた。父の宗方時太郎《ときたろう》は、職人気質で、厳格だったが、唯一の趣味が将棋で、宗方功は、子供の時から、父の相手をして強くなった。

母の文子《ふみこ》は、身体が弱かったが、優しい母親だった。

父の時太郎は、長野県内のアマチュア将棋大会で準優勝したほどの腕前だったが、功の上達は素晴らしく、小学五年になる頃には、時太郎の方が、息子に勝てなくなってしまった。

そこで、両親は、功の才能を生かしてやろうと考え、中学にあがった時、彼を、プロ棋士の養成機関「奨励会」に入会させるため、東京へ連れて行った。上田から通うわけにはいかないので、母親の文子が、別居の形で、東京にマンションを借り、功を、東京の中学に入学させた。

涙ぐましい両親の協力によって、功の棋力も順調に伸びていった。

奨励会の規程では、満二十歳までに初段、満二十五歳までに四段にならないと、自動的に、退会させられるのである。

つまり、四段以上が、プロ棋士というわけで、それも二十五歳までに、ならなければならない（例外として、二十九歳まで、猶予される時もある）。

功は、二十二歳で四段になり、三十三歳で八段になった。

八段になった時、最も優しく彼を見守ってくれていた母の文子が、慢性の心臓病が悪化して死亡した。

そのことが影響したのか、功は、急に勝てなくなってしまった。

将棋には、名人位、棋聖位など、七つの名誉の椅子があるが、功が目指していたのは、名人位だった。

名人位は、もっとも歴史のある名誉であり、二日にわたって、一局が戦われ、持ち時間も、一人九時間、二人で十八時間である。

プロ棋士は、その年の成績によって、A級、B級、C級に分けられるのだが名人位を戦うためには、十名で構成されるA級で、優勝しなければならない。A級で優勝して、初めて、名人に、挑戦できるのだ。

宗方は、一時、当時の名人を破る一番手として期待されたのだが、母の病死を境に、A級からも陥落してしまい、B級1組からも、脱落、忘れられた存在になってしまった。

この時期、酒に溺れ、酒の上のケンカで、警察の厄介になったこともあった。

二年前、今度は、父の時太郎が亡くなった。この時、父は、駈けつけた功の手を取って、

「必ず、名人になってくれ」と、言い残したといわれる。

この時から、宗方は、立ち直った。

酒を断ち、先輩の棋譜を研究し、北国の寺に籠り、精神修養につとめた。

その成果は、徐々に表われ、A級にカムバックすると共に、今年になって、名人戦の挑戦権を、手に入れた。

その日、宗方八段は、両親の墓前に、報告した。

名人戦七番勝負は、四月から始まり、宗方は、不敗の名人、柴田敬一郎《けいいちろう》に挑戦することになったのである。〉

昨日の宗方功の行動も、まるで、「総理の一日」みたいな感じで、写真入りで、報じられ

ていた。

ひとりで、静かに時間を潰したいといって、ホテルを出たあと、宗方は、自分の車で、近くの城山《じようやま》史跡公園に登り、そのあと、上田まで車を飛ばし、生島足島《いくしまたるしま》神社に寄った。

生島足島神社は、武田信玄が、戦勝を祈念した神社ということだから、宗方も、名人戦第一局の勝利を祈ったのだろう。

このあと、市内のN寺にある両親の墓前にぬかずき、夜は、ひとりで、何処かへ消えて、英気を養った模様と、書かれている。

十津川と亀井は、車で、上田市に行ってみることにした。

上田市の中心地区は、古い建物が多く、さして、変化は見せていないが、十月一日に開業する北陸（長野）新幹線の上田駅周辺は、大きく、変りかけている。

それは、十津川の眼には、楽しい変化には、見えなかった。

今までの信越本線の線路を、押し潰す感じで、北陸新幹線の高架が、一直線に延びている。北陸新幹線が走るようになると、在来線は、第三セクターになってしまうだろうと、いわれている。

また、道路沿いには、巨大なパチンコ店や、自動車販売の営業所が、並び、更には、真新しい結婚式場や、激安を旗印にしたスーパー、靴や背広の専門店が並ぶ。いずれも、広い駐車場を備えた店で、新幹線が通ると、どこも、同じような景色になってしまうのだ。

十津川たちは、生島足島神社に、寄ってみた。

朱塗りの美しい神社である。

掲げられた由来記によると、平城天皇の大同元年に、神社として誕生、醍醐《だいご》天皇の延喜《えんぎ》の代に、名神大社《みようじんたいしや》に、列せられたとある。

戦国時代以後、武田信玄、真田幸村などの武将の信仰を集めたという。

武田信玄が、戦いに臨んで、奉納した願状、家臣の起請文《きしようもん》などが、宝物として、保存されていると、書かれている。

この神社は、日本の真ん中にあると書かれているが、これは、長野県自体が、日本の中央に、位置しているということなのだろう。

生島足島神社という名称は、生島大神と、足島大神の二柱の神を祭っているためである。

宗方が、ここへ寄ったのは、名人戦の勝利を祈念するということもあったろうが、子供の頃、この神社の境内《けいだい》で遊んだことがあって、それが懐しかったのではないのか。

神社の脇に、古い造りのそば屋があった。

二人が、そこへ入って行くと、見覚えのある顔にぶつかった。

週刊日本の伊知地という記者である。

十津川は、腕時計に眼をやって、

「もう、対局が始まっているでしょう。取材に行かなくて、いいのかな?」

と、伊知地に、声をかけた。

伊知地は、見ていた新聞を、脇にどけてから、

「僕は、正直にいって、名人戦そのものには、あまり、興味がないんです。それに観戦記は、あとでも書けますからね」

と、いった。

十津川と、亀井は、彼の前に腰を下し、ざるそばを注文した。

「その新聞、読みましたよ。宗方八段の出世物語」

と、十津川が、いうと、伊知地は、笑って、

「こんな話、嘘だらけですよ」

と、いった。

「嘘が書いてあるの?」

亀井が、驚いて、きく。

「郷土の英雄ですからね。悪くは書けないでしょう」

「しかし、でたらめを書くというのは、ひどいね」

と、十津川は、いった。

「少しは、本当のことも、入っています」

と、伊知地は、いう。

「少しはか」

「ええ。上田市内のそば屋の息子に生れたというのは、本当ですよ。しかし、両親の愛に包まれてみたいなのは、嘘ですよ。彼の父親は、すぐ暴力を振るう男で、傷害の前科もあるんです。宗方八段の才能を伸ばすために、別居して、母親が、東京で生活を始め、父親は単身、上田で、そば屋を続けたみたいに書いていますが、これも、嘘ですよ。母親が、夫の暴力に耐えかねて、宗方功を連れて、東京へ逃げたんです。それが結果的に、功の才能を生かすことになったわけですが、母親は、東京に住む叔父を頼っていった。その叔父と、おかしなことになって、叔父の家庭は、がたがたになっているんです」

「彼が、プロ棋士になってから、臨終の父親に会いに行き、そこで、名人になってくれと励まされたという話は、どうなの？」

と、十津川は、きいた。

伊知地は、クスッと笑って、

「そんな絵物語みたいな話、嘘に決ってるじゃありませんか。今もいったように、父親の暴力が原因で、別れているんだから、臨終の床に駈けつけるなんてことは、ありえませんよ」

「しかし、父親が死んだとき、何もしなかったのかね？」

と、亀井が、きいた。

「父親ですが、バクチ好きでしてね。何百万かの借金を残して、死んでしまったんです。それで、債権者は、血のつながりのある子供が、プロ棋士になっていると知って、彼に、借金を払えと迫ったわけです。もちろん、彼の方は拒否する。それで、しばらく、もめたみたいですが、結局、彼は払わなかったんじゃありませんか。そんなことだから、臨終の床で、父親が、名人になってくれなんていう筈《はず》がありません」

と、伊知地は、いった。

「しかし、新聞には、上田市内の寺で、宗方が両親の墓前へ、名人戦の報告をしたと書いてあるし、写真ものっていたがね」

と、亀井が、いった。

「父親の墓はありますが、母親の墓は、東京にあります。だから、正確には、父親の墓前ですよ」

「行ったのは、事実なんだろう？」

「あれは、信濃日報が、頼み込んでの、やらせですよ。将棋の手ほどきをしてくれた父親の墓前に、名人戦の報告をするなんてのは、絵になりますからね」

と、伊知地は、いった。

十津川は、そばを、少しずつ、食べながら、

「君は、宗方八段が、嫌いみたいだな」

と、伊知地に向って、いった。

「宗方功の本当の姿を、知りたいだけですよ。知って、書きたいんです」

と、伊知地は、いう。

「東京で起きた連続幼女殺人だが、宗方が、関係があると、思っているのか？」

亀井が、きいた。

「証拠はありませんが、新井みどりという六歳の幼女の証言があります」

「それから？」

「宗方功が育った家庭環境です。父親は、バクチ好きで、暴力的、母親は不倫。そんな家庭で育ったんです。性格が歪《ゆが》んでもおかしくはありませんよ。女性に対する感情が、おかしくなっているかも知れません」

と、伊知地は、いった。

「宗方功のことは、いろいろと、知っているんだな？」

「調べていますからね」

「じゃあ、一つ教えてくれないか。新聞によると、上田で、N寺に行ったあと、ひとりで、姿を消したとなっているが、宗方は、ホテルへ戻ったのかね？　それとも、誰かに会いに行ったのかね？」

と、十津川は、きいた。

「それを知って、どうするんですか？」

伊知地が、きく。

「私も、宗方功のことを、いろいろと、知りたいんだ」

と、十津川は、いった。

「東京の幼女殺しとの関係でですか？」

「今の段階では、何ともいえないな」

「警察は、臆病ですね」

と、伊知地は、いった。亀井が、むっとした顔で、

「警察のやり過ぎをいつも非難するのは、君たちマスコミだぞ」

「今回は、もっと、積極的に動いて貰いたいですね。いたいけな幼女が、もう二人も、殺されているんですよ。しかも、いたずらされて。もっと、積極的に動かないと、新たな犠牲者が必ず出ますよ」

と、伊知地が、いう。

「だから、余計、協力して欲しいんだがね」

と、十津川は、いった。

伊知地は、煙草をくわえてから、

「昨日の夜は、宗方は、芸者と、お楽しみでしたよ」

「芸者？」

「ええ。戸倉上山田に、なじみの芸者がいるんです。名人戦の挑戦者に決ったあと、宗方は、英気を養いに、戸倉上山田温泉に来て、芸者を呼んで遊んだんです。そのとき、ぼたんという若い芸者と、親しくなって、東京に、呼んだりしているんです。昨夜も、名人戦の舞台のホテルに呼ぶわけにはいかないので、他のホテルか旅館で、会ったんだと思いますね」

「度胸があるんだね」

と、亀井が、感心したように、いった。

伊知地は、皮肉な目つきになって、

「そういうのを、度胸があるって、いうんですかね」

「大事な名人戦の前に、芸者と遊ぶなんて、度胸があるように、見えるがねえ」

「非常識という人もいると思いますよ」

と、伊知地は、いった。

「君は、その芸者のことも、いろいろと、知っているんだろう？」

と、十津川は、きいた。

「一応、取材はしていますよ」

「どんな女なんだ？」

「面白いといえば、面白いけど、すぐ、キレる女です。何しろ、ケンカした芸者を、エア・ガンで撃って、負傷させたんですから」

と、伊知地は、いった。

「エア・ガンを振り廻す女か」

十津川は、笑った。

「そうです」

「なぜ、そんな芸者と、宗方は、仲良くしてるんだ？」

と、亀井が、きいた。

「多分、気が合ったんじゃありませんか。似た者同士で」

「宗方も、すぐ、キレるのか？」

「二十歳頃、よく、酔って、ケンカをしたことは、知られているし、短気であることは、宗方自身認めています」

と、伊知地は、いった。

「しかし、芸者と、仲良くなるということは、宗方にとって、プラスになるんじゃないかね？」

と、十津川は、いった。

「普通の恋愛も、セックスも出来る。だから、幼女に、いたずらしたり、殺したりする筈はないということですか？」

伊知地が、逆にきき返した。

「幼女殺しは、変質者の犯行と見れば、宗方は、変質者とは、思えない」

と、十津川は、いった。

伊知地は、笑って、

「芸者と、よろしくやっているからですか？　刑事さんも、甘いな。中身が、わからないのに」

「中身――？」

「そうですよ。二人のつき合いの中身が、わからない。普通の男と女のつき合いじゃないかも知れないのに、これだけで、容疑圏外におくなんて、おかしいですよ」

「君は、どんなつき合いを想像しているんだね？」

と、十津川は、きいた。

「わかりませんが、カムフラージュということだって考えられますからね」

「カムフラージュ？」

「そうです。幼女殺しで、自分が疑われ出したと知って、そんな変質者じゃない、そう思わせたくて、芸者と、親しくして見せているということだって、考えられるということです。それに、正常に、結婚生活をしている男が、幼女にいたずらする例だってありますからね」

と、伊知地は、いった。

彼のいうことが、正しいかどうかわからない。

十津川は、一度、清涼館ホテルに戻ってみることにした。

亀井と、車で、ホテルに戻ると、名人戦第一局は、すでに、始っていた。

場所は、六階のスイートルームで、一階の広間に、記者や、将棋ファンが集って、テレビの画面を見ながら、プロ棋士の解説を聞くことになっていた。

広間にも、テレビ局のカメラが入っている。

壁には、大きな将棋盤が、かかっていて、実況中継に合わせて、模型の駒を動かしながらの解説だった。

解説に当っている井上《いのうえ》八段というのは、何冊も、本を出していて、人気の棋士らしいが、十津川は、名前しか知らなかった。

それよりも、十津川は、広間で、観戦している人たちの中に、和服姿の若い女がいるのに、注目した。

いかにも、玄人《くろうと》という感じの三十歳ぐらいの女である。

美人だが、きつい感じのする顔立ちだった。

どうやら、この女が、ぼたんという芸者らしい。

亀井も、同じように感じたらしく、

「来てますね」

と、小声で、いった。

ファンの人たちは、静かである。静かに、熱心に、井上八段の解説を聞いている。まるで、教師の話に、耳を傾ける出来のいい生徒という感じだった。

記者たちの方は、時々、六階の部屋を、のぞき込んでは、対局中の柴田名人と、宗方八段の表情などを、記事に書いている。

十津川も、将棋は少しはやるのだが、一局は、どう長くても、五十分で、終ってしまう。

そんな十津川には、名人戦の対局は、なかなか、駒が進まず、いらいらして来て、亀井とロビーに出て、コーヒーを飲むことにした。

井上八段の解説では、今のところ、どちらが優勢ともわからないらしい。

「どう思います？」

と、亀井が、コーヒーを、口に運びながら、きく。

「どっちが勝つかということかい？」

と、十津川が、聞き返すと、亀井は、手を小さく振って、

「そうじゃありません。幼女殺しのことです。宗方功が、犯人だと思われますか？」

「正直にいって、わからないな」

「何とか、目星がつきませんかね？」

「宗方が、ここにいる間に、東京で、また、幼女殺しがあれば、彼の容疑はうすくなるよ」

と、十津川は、いった。

「東京でですか」

一瞬、亀井の表情が、こわばった。

十津川のいうことは、正しいし、亀井だって、同じことを考える。ただ、それは、新しい犠牲者が出ることを意味するから、口にしにくいのだ。

十津川は、あっさりと、いう。十津川には、そういう冷たさみたいなものがある。それを一瞬、かいま見た気がしたのだ。

それで、別に、十津川を、怖い人だなと思いはしないし、嫌悪感を覚えるわけではない。むしろ、リーダーには、そうした冷たさも、必要だと思い、自分には、その冷たさがないと、反省したといった方がいいかも知れない。

二人が、コーヒーを飲んでいるところへ、伊知地が、入って来た。

「今、二人とも昼食をとっています」

と、伊知地はいい、自分も、コーヒーを注文した。

「広間にいた女が、ぼたんという芸者なんだろう？」

と、亀井が、きいた。

「そうです。彼女の方が、宗方に、惚《ほ》れていますね」

「そうかね」

「普通の客と芸者なら、好意は持っていても、芸者は、こんな時間なら、たいてい、寝ていますよ。夜おそいですからね。それなのに、きちんと化粧をして、ホテルに来ているのは、彼女が、宗方に、惚れてる証拠です」

と、伊知地は、いった。

「宗方の方は、カムフラージュか」

亀井が、伊知地の顔を見て、いう。

「僕は、その疑いを持っています」

と、伊知地は、いった。

その表情は、確信に満ちている。

十津川は、ふと、この確信は、どこから来るのだろうかと、疑いを持った。

ただ単に、直感で、宗方功が、犯人に違いないと思っているのではないだろう。

直感だけでは、これほどの強い確信は、持てないだろうという気がするのだ。

何か確証があるのか、さもなければ、宗方に対して、個人的な憎しみを持っているのか。

そのどちらだろうかと、考えながら、十津川は、伊知地に向って、

「君のことも、知りたいな」

と、いった。

「僕のことを知って、どうするんですか?」

伊知地は、戸惑いの色を見せた。

「君の、宗方功に対する態度さ。どのマスコミも、まだ、宗方を追いかけてはいない。幼女殺しに関してね。それなのに、君は、彼をマークして、彼がつき合っている芸者のことまで、調べあげている。君が、それほどまでに、宗方を追いかける理由を知りたいんだ」

「警察だって、彼に、疑いを持っているんでしょう？　それと同じですよ」

と、伊知地は、いった。

「それだけとは、とても、思えないね」

と、十津川は、いった。

「幼い子供が、いたずらされた揚句《あげく》に殺されている。それも、二人もです。誰だって、義憤にかられるのが、当り前でしょう。だから、僕は、容疑のありそうな人間を、追いかける。特に、それが、有名人なら、なおさらですよ。記者の本能みたいなものです」

と、伊知地は、昂然《こうぜん》と、いう。

「それはわかるが、そのことと、君が、宗方功に狙いをつけていることとは、違う。なぜ、宗方をマークするのか、知りたいな」

と、十津川は、いった。

「それは、警察と同じ理由ですよ」

「シルバーメタリックのベンツ。モンタージュか」

「それに、この地方の方言」

と、伊知地は、付け足した。

「しかし、君は、そうした状況証拠が出る前から、宗方功を追いかけているような気がするんだがね」

十津川は、伊知地を見すえて、いった。

「そろそろ、対局が、再開されますよ」

と、伊知地は、はぐらかすように、立ち上った。

「君は、対局そのものには、興味がなかったんじゃないのかね？」

亀井が、皮肉を利《き》かしていった。

伊知地は、それには返事をせず、ロビーから、広間の方向に、歩いて行ってしまった。

「どう思われますか？」

と、亀井が、十津川に、きいた。

「あの男の態度がかい？」

「そうです。宗方にも、何かあるような気がしますが、あの記者にも、何かありますよ」

「宗方に対する個人的な恨みか？」

「事件を解決したいだけの気持で、この戸倉上山田温泉に来ているとは、とても、思えませんね」

と、亀井は、いった。

「公憤と、私憤が絡《から》んでいるというやつかな」

と、十津川は、呟やいてから、携帯電話で、東京の捜査本部に、連絡を取った。

電話に出た西本刑事に、

「宗方功のことで、何かわかったことがあるか？」

と、きいた。

「宗方の経歴ですが、長野県上田市のそば屋の一人息子として生れました」

「父親は、バクチ好きで、暴力を振るう。それで離婚して、母親と二人で、東京に出て来たんだろう？」

と、十津川が、きく。

「その通りです」

「あいつのいうことは、正しかったんだ」

「あいつ――ですか？」

「いや、いいんだ。宗方が、日頃、つき合っている女は、誰かいるのか？」

「去年も、名人への挑戦者決定戦まで出て、惜しくも敗れたんですが、その頃、見合いをしています。将棋好きの会社社長の次女で、二十五歳の家事見習いのお嬢さんです」

「どうなったんだ？」

「見合いは、うまくいったんですが、半月後に、破談になっています。理由は、わかりません」

「なぜ、わからないんだ？」

「娘さんの方は、両親も、本人も、仲人《なこうど》も、理由については、申し上げられないの一点張りですし、宗方も、ノーコメントで、通しているからです」

と、西本は、いった。

「どちらから、断ったかもわからないのか？」

「それは、女性の方からです。しかし、男の方が断っても、女性側からということにしますから」

「この他に、女はいないのか？」

と、十津川は、きいた。

「特定の女性はいません。ただ、独身なので、ソープランドにも行くらしいんですが、そこでの評判は、あまりよくありません」

と、西本が、いった。

「どう評判が悪いんだ？」

「彼の相手をしたソープ嬢に会って来ましたが、自分勝手で、暴力的だそうです。お金を貰っていても、ああいう客は嫌だといっていました。彼の父親が暴力的だったそうですから、その血を受けついでいるんじゃありませんかね」

「暴力的か」

十津川は、小さく眉を寄せた。

宗方は、芸者のぼたんには、どんな態度で、接しているのだろうか？

「宗方の、三つの事件についてのアリバイは、調べてみたか？」

と、十津川は、きいた。

「調べました。面白い結果が、出ています」

「説明してくれ」

「第一、第二の殺人の日、それに、未遂に終った第三の事件の日ですが、いずれも、宗方八段の対局の無い日です」

「対局は、しばしば、あるのか？」

「このところ、宗方は、A級順位戦のほか、他のタイトル戦も含めて、一ヵ月に、四、五回は、対局があったと思います。その対局と対局の間に、三つの事件は、起きているんです」

と、西本は、いった。

「対局の無い日は、どうしているんだ？」

と、十津川は、きいた。

「各人各様ですが、宗方は、つき合いが悪いという評判で、対局のない日に、友人と、つき合うことは、無かったみたいです。孤高の棋士と賞める人もいますが、気むずかしくて、つき合いにくいという人の方が多いですね」

「棋士仲間に、親しくつき合っている人間はいないのか？」

　と、十津川は、きいた。

「宗方は、亡くなった佐《さ》藤《とう》九段の門下で、同門に、現在、五人のプロ棋士がいますが、その五人とも、親しくつき合っている気配は、ありませんね」

「棋士仲間に、親友はいないということかね？」

「今まで調べたところでは、見つかりません」

　と、西本は、いう。

「三つの事件について、その後、わかったことはないか？」

　と、十津川は、きいた。

「警部がいわれた通り、聞き込みを続行しています。犯人が使った方言のことですが、これは、間違いなく、長野地方のもので、『おれと行くじゃねーか』と、いったようです。新井みどりは、両親から、同じ方言を聞いていたので、聞き違いではないと思われます」

　と、西本は、いった。

「やっぱり、そうか。他には？」

「第一の殺人事件の時も、現場近くで、不審な車が、目撃されているのが、わかりました。車種はわかりませんが、シルバーメタリックだったといいます」

「同じ車と見ていいかな」

「そう思います。第三の未遂事件のときと同じ、ベンツだと思われます。今、ベンツは、シルバーメタリックが、多いですから」

「宗方八段が、第一、第二の殺人で、現場付近で目撃されているという話は、聞こえて来ないか？」

と、十津川は、きいた。

「残念ながら、それは、ありません。ただ、宗方は、車が好きで、対局のない日は、よく、シルバーメタリックのベンツを、走らせているようです」

「彼のマンションに行ってみたか？」

「行って来ました。都内のマンションにしては珍しく、駐車場つきで、彼は、そこに、車を置いています。管理人は派遣会社から来ていて、一日おきの勤務です。また、住人のほとんどが、独身者なので、お互いのことを、よく知りませんね。聞き込みは、難しいと思いました」

「宗方が、よく食事をする店はないのか？　独身の彼が、自分で、食事を作るとは思えないんだが」

「対局のない時に、よく行く店があります。戸倉上山田のそば屋に生れたせいか、その店は、信州そばが売り物の店です。そこに、宗方の色紙が、飾ってあります」

「何と書いてあるんだ？」

「ただ『勝つ』とだけ書いてあります。身体に似合わない細い字です」

「勝つ――か。ひどく、直截《ちょくせつ》な言葉だな」

と、十津川は、いった。


二人が、一階の広間に戻ってみると、まだ、対局は、続いていた。

名人戦は、二日にわたって行われる。

第一日目の今日は、午後六時で、封じ手になる予定で、午後四時現在、先手の宗方が、長考に入っていた。

解説者によると、ここまで、宗方が、やや有利ということだった。

そのせいか、広間は、やや、ざわついている感じだった。

このまま、宗方が勝てば、このあとの名人戦が、宗方優勢のまま展開し、柴田名人の名人位防衛に微妙な影響を与えるかもしれないからである。

宗方は、現在の優勢を、確実なものにしようと、長考しているのだろうと、解説者が、いう。

芸者のぼたんは、まだ、広間にいた。

彼女が、将棋を知っているのかどうかわからないが、熱心に、壁の将棋盤を見つめ、解説者が、「先番の宗方八段がやや有利」と話したときは、嬉しそうに、微笑するのが、わかった。

午後六時。柴田名人の長考の中に、時間が来て、明日に、持ち越されることになった。十津川と、亀井も、夕食のあと、温泉に入り、自分たちの部屋に引きあげた。

明日で、名人戦第一局の結着がつく。勝てば宗方は、貴重な先勝の一勝をあげる大事なときだから、今夜は、まさか、外出しまいと考えてのことである。

宗方は、外出はしなかった。が、ホテルの中で、事件が起きた。

名人の柴田が、夜おそく、ひとりで、露天風呂に入っていた時、突然、エア・ガンで、狙撃されたのである。

三発が撃たれ、一発が、柴田の左頬に命中した。

近くの病院から、医者と看護婦が駈けつけて、手当てをしたが、距離があったせいか、柴田の頬が、赤く腫《は》れただけで、すんだ。

それでも、戸倉上山田交番から、警官が駈けつけ、おくれて、更埴警察署から、刑事三人が、やって来た。

傷害事件だし、しかも、日本中が注視している名人戦の最中に、起きた事件である。

長野県警の刑事たちは、緊張していた。

刑事一課の三浦《みうら》警部が、まず、被害者の柴田から事情を聞いた。

柴田は、赤く腫れた左頬に、薬を塗って貰っただけで、

「あまり、騒がないで、欲しいのですよ。怪我《けが》も、たいしたことはないし、明日も、対局がありますから」

と、落着いた声で、三浦に、いった。

「しかし、眼に当っていれば、失明していたかも知れませんよ。それに、犯人を見つけ出さんと、また、やる可能性もあります」

三浦は、険しい表情で、いった。

三浦は、柴田に、露天風呂に行って貰い、現場検証を始めた。

ホテルに泊っていた記者たちが、すぐ、集って来たし、宿泊客も、部屋から出て来た。

ホテル自慢の露天風呂は、庭に面していて、千曲川も見える位置に作られている。

庭には、外から入り込むことも可能で、犯人は、庭の植込みのかげから、柴田を、狙ったものと、思われた。

十津川と、亀井は、寝ようとしていたところだったが、飛び起き、旅館の寝巻の上に、丹《たん》前《ぜん》を羽織って、一階の露天風呂に急行した。

だが、身分は、明かさず、遠くから、県警の現場検証を、見守った。

そんな二人の傍に、伊知地が、これも、寝巻に、丹前姿で、寄って来て、

「犯人は、芸者のぼたんですよ」

と、囁《ささ》やいた。

十津川は、彼を、露天風呂から、休憩室に連れて行って、

「なぜ、ぼたんだとわかるんだ？」

と、きいた。

伊知地は、

「他に、誰がいるんです？」

「しかし、見たわけじゃないんだろう？」

「見たら、捕えていますよ。ぼたんは、気性の激しい女で、ケンカなんかすると、エア・ガンで、相手を撃って、怪我させたりしてきたんです。今でも、近所の、気に入らない猫を撃ってやるんだといっている女です。宗方に頼まれて、柴田名人を、狙ったに違いありませんよ」

と、伊知地は、いう。

「しかし、何のために、そんなことをするんだ？　エア・ガンじゃ、殺せないだろう？」

と、亀井が、きいた。

「だから、いいんじゃありませんか。当っても軽い怪我ですむ。しかし、心理的なショックを受ける。宗方にすれば、明日の対局を、有利に、展開できますよ。何としてでも、名人になりたい宗方が、やらせたに決っていますよ」

伊知地は、きっぱりと、いった。

「しかし、今日は、宗方の方が、優勢だと、解説者は、いっていたがね」

と、十津川は、いった。

伊知地は、小さく、手を振って、

「そんなものが、何の当てにもならないことは、宗方が、一番よく知っていますよ。それに、柴田名人は、終盤の粘りに、定評があるんです。宗方は、今、優勢でも、いつ、引っ繰り返されるかと、不安で、一杯の筈です。この第一局を敗ければ、そのまま、ずるずると連敗しかねない」

「だから、芸者のぼたんに、名人を狙わせたか」

「ええ」

「しかしなあ」

と、亀井は、首をかしげて、

「もし、それが、ばれてしまったら、名人になれないどころか、警察に逮捕され、日本将棋連盟から、追放されてしまうよ。そんな危いことを、宗方が、やるかね？」

「宗方は、いたいけな幼女を、平然と、殺せる男ですよ」

と、伊知地は、いう。

十津川は、苦笑して、

「君ねえ。それは、君の独断だよ。まだ、宗方は、容疑者でもないんだ」

と、いった。

「しかし、僕は――」

と、なおも、伊知地がいいかけたとき、柴田名人が、三浦警部と一緒に、露天風呂から戻ってきた。

柴田を、記者たちが、取り囲んで、

「明日は、予定どおりですか？」

「動揺はありませんか？」

「犯人に、心当りはありませんか？」

と、口々に、質問を、浴びせかける。

その一つ一つに、柴田が、名人らしく、丁寧に答える。

「対局は、予定どおり、やらせて貰います。当ったところは痛いですが、それで、動揺するようなことはありません。犯人の心当りは全くありません。これで、よろしいですか？」

そのまま、柴田は、エレベーターに、乗ってしまった。

日本将棋連盟では、中止も考えたらしいが、被害者の柴田名人が、第一局の対局を続けて欲しいと主張し、幸い、怪我も軽いので、対局は、再開されることになった。

決定したのは、翌日の午前九時になってからだった。

決定は、記者会見の形で行われ、テレビが、それを報じた。

十津川は、柴田名人の表情よりも、挑戦者の宗方の表情に、関心を持った。

伊知地の言葉が正しければ、昨夜の狙撃は、宗方が、芸者のぼたんに頼んで、エア・ガンで、柴田名人を狙わせたのだ。

当然、宗方の表情に出るだろうと思ったのだが、彼の顔は、普段のままだった。いや、彼の普段の顔そのものが、妙に、無表情に見えるのだ。

(よくわからない男だな)

と、十津川は、思った。

会場には、万一に備えて、県警の刑事が、何人か来ているようだった。また、柴田名人が、狙われるかも知れないと、思ったのだろう。

その中に、三浦警部の姿が見えないのは、エア・ガンの犯人を、探しているからに違いない。

緊張の中に、というより、妙に重苦しい空気の中で、対局が、再開された。

最初、宗方八段が、昨日の優勢を持続していた。昼食のために、中断したとき、解説者は、

「これで、宗方八段の優位は、まず、動かない」

と、いい、記者たちは、宗方八段先勝の原稿を書き始めたくらいである。

将棋が強いわけではない十津川にも、駒の配置から、宗方の勝ちが、予想出来たほどである。

昼休みが終って、再開。

そして、宗方が、思いもつかぬ悪手を打ったのだ。

解説をしていた井上八段が、その一瞬、信じられないような顔になって、

「3三銀成に間違いないの？」

と、人々が見守る中で、大声で、確認したくらいだった。

あとで、知ったのだが、そこは、3三銀成ラズが正解で、それなら、あと七手で、柴田名人の玉が詰み、宗方の勝ちだったのだという。

十津川の隣りにいた老人も、「あッ」と、小さく叫んだ。

浅野《あさの》といい、アマ三段という将棋好きで、東京から、わざわざ、見に来たのだという。

「いけませんか？」

と、十津川が、きくと、

「プロでも、あんな間違った手を、指すことがあるんですねえ」

と、浅野は、溜息まじりに、いった。

「そんな悪手ですか？」

「あれで、即詰みがなくなって、一手、空いてしまいます。柴田名人が、息を吹き返します

よ。柴田名人は、負けを覚悟して、形を作っていたのに」

　と、浅野老人は、いう。

「形を作るって？」

「負けるにしても、恰好《かっこう》をつけておきたい。そう思って、一手負けの形を作っておくんです。柴田名人にしたら、宗方八段が、終盤で、あんな緩手《かんしゅ》を指すだろうなんて、考えてもいなかったと思いますよ」

　と、浅野は、いう。

　その言葉どおり、柴田の表情が、急に、明るくなり、指す手が早くなった。

　王手の連続で、あっという間に、柴田名人が逆転して、勝ちを制してしまったのである。

　広間で、解説している井上八段は、何度も、

「信じられませんねえ」

　を、繰り返した。

「これは、後を引きますよ」

　とも、いった。

第二章　敗北のあと

1

「どうもわからんなあ」

と、十津川は、呟やいた。

「何がですか？」

亀井が、コーヒーを、かきまぜながら、十津川を見る。

十津川は、煙草《たばこ》に火をつけてから、

「宗方が、素人《しろうと》でもわかるような、あんな悪手を、なぜ、指したかということだよ」

「それは、勝ちを意識しすぎたからじゃありませんか？　宗方は、もう三十六歳です。最近は、二十代で、名人になったり、王将位についたりしていますからね。焦って、悪手を、指したんじゃありませんかねえ」

と、亀井が、いう。

「いや。宗方は、あの3三銀成を指す前、三十二分も、考えているんだ。それに、あと七手で柴田名人の玉が詰むところだったんだよ。そんなところで、いくら、名人になれると舞いあがっていたって、間違うとは、思えない」

「何かあったと、お考えなんですか？」

「あの前に、昼食のために、中断している」

「ええ。宗方も、柴田名人も、昼食をとるために、自分の部屋に、戻っています。その時に、何かあったのかも知れない」

「カメさん。宗方の部屋係をやっている仲居に会って、話を聞いてみてくれないか。警察手帳を見せていいから」

と、十津川は、いった。

亀井は、すぐ、ティールームを飛び出して行った。

二十分ほどして戻ってくると、

「ちょっとしたことがあったようです」

「どんなだ？」

「ルーム係の仲居の話ですと、午前中の対局中に、掃除のために部屋に入ったら、ドアの下から、白い封筒が、差し込まれていたというのです。表には、宗方八段様とあり、裏には、一ファンよりと書いてあったので、泊り客の中の宗方ファンが、激励の手紙を出したのだろうと思い、その封筒は、机の上に、置いておいたというのです。中身は、表から触った限りでは、危険なものは、入っていなかったといっています」

「今、その封書は、どうなっているんだろう?」

「机の上から無くなっているから、宗方が、中身を、見たことは、間違いないと、仲居は、いっています」

「宗方は、昼食のときに、それを、見たということか?」

「そうなります」

と、亀井は、いった。

「その手紙が、原因かな?」

と、十津川は、いった。

「それで、あんな悪手を打ったということですか?」

「可能性はあるよ」

と、十津川は、いった。

「どんな手紙だったと思いますか?」

「それが原因で、宗方が動揺して、敗けたのだとしたら、内容は多分、脅迫状みたいなものだと思うね」

「しかし、宗方は、それを、明らかにしませんね。ここの警察にも、黙っているようですが」

「内容を明らかに出来ない理由があるんだろう」

「幼女殺しに関係したことが、書いてあったんですか？」

と、亀井が、いう。

「もし、そうだとしたら、宗方は、犯人でないまでも、何らかの関係があったことになってくる」

「宗方に、聞いてみますか？」

「私たちの推理が当っていれば、何も喋《しゃべ》りゃしないさ。それに、仲居は、中の手紙を見ていないんだろう？」

「見ていません」

「それじゃあ、宗方が、何をいっても、反論できないよ。真相は、闇の中になってしまう。対局のあとで、宗方は、記者たちに、自分は、未熟だから負けた、次の第二局をがんばりたいとだけいい、手紙のことには、全く、触れていない。多分、焼き捨ててしまったんだろうと思う」

と、十津川は、いった。

「そんな手紙を、宗方に送りつけたのは、誰ですかね？」

「十中、八、九、あの週刊誌記者だよ」

と、十津川は、いった。

「伊知地ですか？」

「ああ、そうだ。今のところ、彼のことしか思い浮ばないよ」

「もし、伊知地が、やったんだとすると、彼は、芸者ぼたんのことを、ここの警察にも、通報しているかも知れません。何とかして、宗方をやっつけてやろうと、考えているみたいですから」

と、亀井は、いった。

「しかし、ここの警察も、対応に困るんじゃないかね。芸者のぼたんが、犯人だという証拠はないんだから」

と、十津川は、いった。

「宗方は、これから、どうするんですかね？」

「次の第二局は、来月五月の連休明けに、場所を伊豆に移して行われるということだ」

「来月ですか？」

「伊豆は、柴田名人の生れ故郷だと聞いている」

「すると、名人も、宗方も、いったん、東京に戻るんですね？」

「柴田名人は、名人としての仕事が忙しいので、今日にも、東京へ帰るといっていた。宗方は、この戸倉上山田で、一週間ばかり、温泉で、骨休めをしていくと、後援会に、告げたそうだ。芸者のぼたんと、遊ぶつもりかも知れない」

「では、しばらく、このホテルに、泊るつもりですかね？」

「いや。ここは、縁起が悪いので、他のホテルに移りたいと、ここのマネージャーにいっている」

「芸者のぼたんのことですが、何をしているか調べて来ましょう。ここの警察の動きもです」

と、亀井が、いった。

亀井が、出かけ、あとに残った十津川は、このホテルでの宗方と、柴田名人の様子を、聞いてみることにした。宗方が、幼女殺しの犯人なら、何か、それらしい動きをしたかも知れない。

柴田名人は、すでに、車で、東京に帰ってしまっていたが、彼の悪口は、どこからも聞こえて来なかった。

宗方より六歳若い三十歳だが、すでに五期名人位を守っている。

沈着、冷静が、彼の代名詞のようになっていて、既婚で、二歳の子供がいた。

この清涼館ホテルでは、五十枚の色紙を書いている。対局前なので、ホテル側は、恐縮したらしいが、柴田は、「ファンの方の要望に応《こた》えるのも、名人としての仕事ですから」と、文句一ついわず、五十枚の色紙を、書いてくれたという。

「名人は、強いだけでなく、人格、識見も、高くなければいけないそうですが、柴田さんは、大した方ですよ」

と、ホテルの女将《おかみ》は感動したように、十津川に、いった。

柴田が、色紙に書く言葉は、いつも「和」である。

どうも、出来すぎた感じが、十津川にはするのだが、人々は、こういうことに、感動するのだろう。

入浴中に、エア・ガンで撃たれたあとの柴田の態度も、人々の賞賛を受けていた。

特に、今回の名人戦第一局を、戸倉上山田に、誘致した人々、将棋好きの市会議員や、清涼館ホテルの女将や、マネージャーなどは、絶賛しているのだ。

「柴田名人が、エア・ガンで狙われるというような事件は、われわれの責任です。早速《さっそく》、お詫びに参上したんですが、逆に、励まされましたよ。私は、六十過ぎなのに、若い名人に、教えられることが、多かったですね」

と、加山《かやま》という市会議員は、本当に、感動した顔で、いうのだ。

柴田名人とは逆に、宗方の評判は、あまり芳《かんば》しくなかった。

それは、郷土の有名人であり、期待の星である宗方に、この戸倉上山田で開催された第一局に勝ってほしいという期待を裏切られたことへの失望もあると思えた。

　ただ、柴田名人が、五十枚もの色紙を、快諾して、書いたのに対し、宗方が、対局のために精神を集中したいのでといって、断ったのを、あれこれ非難するのは、間違っていると、十津川は、思った。

　名人位獲得を目前にした宗方が、高ぶる気持を押さえかねて、色紙を断ったのは、当然の態度に思えるのだ。

　柴田が、五十枚もの色紙を書いたのは、彼が、名人だからだろう。名人は、日本将棋連盟の顔なのだ。二人には、その違いがあるから、態度が違っても、当然だと、十津川は思う。

　十津川が、重視するのは、そうした宗方の態度よりも、彼の性格である。

　幼女殺しに繋がる性格なのかどうかだった。

　その日の夕食前に、宗方は、同じく千曲川沿いの、「紫雲荘《しうんそう》」という旅館に移動した。

　亀井が、聞き込みから戻って来たのは、その直後だった。

「この先の旅館の前で、宗方を見かけましたよ」

　と、亀井は、いった。

「今、紫雲荘という旅館に移ったんだ」

　と、十津川は、いった。

　亀井は、自分で、お茶をいれて飲んでから、

「芸者ぼたんのいる置屋は『花扇《はなおうぎ》』という名前ですが、彼女の他に三人の抱え妓がいます。

私が行ったとき、彼女は、置屋の六歳の男の子と、キャッチボールをやっていました」

「キャッチボール？」

「ええ。昨夜、柴田名人を、エア・ガンで撃ったようには、見えませんでした。きゃあきゃあ、騒いでいましたから」

「しかし、やったかも知れない――？」

「ええ。女は、男のためなら、殺人もやりますから」

「男だって、女のために、何でもやるさ。それで、ここの警察の動きは、どうなんだ？」

と、十津川は、きいた。

「更埴警察署に行って、三浦警部に会って来ました。ただ、幼女殺しの捜査に来ているとは、いいませんでした」

「何といったんだ？」

「私が将棋が好きで、非番を利用して、名人戦第一局を見に来たといいました。清涼館ホテルに泊っていたら、エア・ガン事件が起きたのだと」

「カメさんが、将棋が好きとは知らなかったね」

と、十津川が、いうと、亀井は、笑って、

「私だって、駒の動かし方ぐらいは、知っていますよ」

「それで、長野県警は、捜査本部を置いたのか？」

「ええ。傷害事件として、捜査を進めるといっていましたね。それで、手紙ですが、更埴署にも来ていました」

「やっぱり、来ていたか」

「今日の昼少し前に、放り込まれていたそうです。白い封筒に、ワープロで、長野県警本部長殿と宛名が書かれてあったそうです。差出人は、将棋愛好者となっていました」

と、亀井は、いう。

「中身は？」

「便箋《びんせん》一枚に、これも、ワープロで、書かれていました。それをコピーして来ました」

亀井は、ポケットから、コピーしたものを取り出して、十津川に渡した。

〈昨夜、清涼館ホテルで起きた柴田名人狙撃事件の犯人は、当地の芸者ぼたんです。彼女は、挑戦者の宗方八段に惚れており、彼を勝たせたいと思ったか、或いは、宗方に頼まれて、エア・ガンで、狙撃したのです。彼女のこと、彼女と宗方八段のことを、ぜひ調査されることを、要望します〉

ワープロで、それだけの文字が、書かれている。

「指紋は、調べたのかな？」

と、十津川は、いった。

「便箋からも、封筒からも、指紋は、検出されなかったそうです」

「カメさんは、これを、伊知地が書いたと思うのか？」

「あの男しか考えられませんよ」

「しかし、ワープロを持っていたかな？」

「今は、ショルダーバッグに入るくらいの小型のワープロがありますから、持っていて、おかしくありません」

「それで、ここの警察は、どうしたんだ？」

「一応、ぼたんのことを調べたそうです。彼女が、エア・ガンを持っていることや、武勇伝は、刑事たちも、聞いていたようで。しかし、彼女が、柴田名人を撃ったという証拠は見つからず、すぐ、帰したと、いっていました」

「証拠なしか。そうだろうな。彼女が犯人だとしても、すぐ、わかるような真似はしないだろうからね」

と、十津川は、いった。

「ところで、問題の伊知地は、今、何処《どこ》ですか？」

と、亀井が、きいた。

「さっきから探しているんだが、姿を見ない。チェック・アウトしたのかも知れないな」

「東京に、帰ったんでしょうか?」

「いや、柴田名人は、帰京したが、宗方は、この戸倉上山田に残っているんだ。彼が、いる限り、伊知地も、ここから離れないさ。理由は、わからないが、あの男は、宗方に、つきまとう気だ」

と、十津川は、いった。

十津川たちは、もう一日、宿泊を延ばしておいて、レンタカーで、宗方が移った紫雲荘を、見に行った。

同じ千曲川沿いにあるのだが、ホテル形式の清涼館とは、違い、こちらは、純粋に、日本式の旅館だった。

どの部屋も、離れの形になっていて、お忍びで楽しむには、最適の旅館の感じだった。

「ここに、ぼたんを呼ぶ気かも、知れませんね」

と、亀井が、いった。

「ぼたんのいる置屋へ行ってみたいな」

と、十津川は、いった。

今、午後六時半。夕食の時刻である。宗方が、ぼたんを呼んだとすれば、この時刻だろう。

町中にある置屋「花扇」の前まで来ると、何か、花扇の前が、騒がしかった。

玄関が開け放され、女将らしい五十歳ぐらいの女が、携帯電話に向って、大声で、喋っている。

「本当に、そっちへ行ってないですか？　こっちにも、帰って来てませんよ！」

家の中から、若い芸者が、出て来て、女将に向って、

「あたしが、探して来る。大丈夫よ」

と、いい、やって来たタクシーに、乗り込んだ。

タクシーが、走り去る。

「ちょっと、様子を調べて来ます」

と、亀井が、いい、車から降りて、置屋の方へ、歩いて行った。

女将をつかまえて、三言、四言、喋ってから、車に戻って来て、

「ぼたんが、行方不明になったそうです」

と、十津川に、告げた。

「どういうことなんだ？　行方不明というのは？」

「女将の話だと、さっきの紫雲荘に、午後六時に来てくれと、ぼたんが呼ばれて、行ったが、今、来ていないと、電話が、かかって来たそうなんです」

「今、六時四十五分か」

「それで、女将が騒いでいるんですよ」

「紫雲荘から、ぼたんを呼んだのは、宗方か？」

「宗方という客だといっています」

「しかし、まだ、行方不明と、決ったわけじゃないだろう？」

「そうなんですが、六時前には、向うに、着いてなければいけないわけですから」

「大の大人が、誘拐されるというのも、考えにくいがねえ」

と、十津川は、いった。

花扇の女将は、相変らず、携帯電話を片手に、家に入ったり、出たりしている。

「あの置屋で、ぼたんは、一番の売れっ子なんで、女将は、あわてているらしいんです」

と、亀井が、いった。

二人は、もう一度、千曲川の見える紫雲荘旅館に、引き返してみた。

しばらくすると、サイレンの音が聞こえて、パトカーが、二台、紫雲荘の前に、到着した。

三浦警部と、二人の刑事が降りて、旅館の中へ入って行く。

「どうやら、花扇の女将が、警察に、電話したらしいですね」

と、亀井が、小声で、いった。

三浦警部たちは、二十分ほどして、旅館から出て来た。

亀井が、近づいて行って、三浦から、話を聞いた。

2

「やはり、置屋の女将が、電話したそうです」

と、亀井は、車に戻って来て、十津川に、知らせた。

「しかし、そのくらいのことで、警察が動くのかね？　まだ、何があったのかもわからない状況だろう？」

十津川は、首をひねった。

「いなくなったのが、芸者のぼたんだったので、捜査をすることにしたと、三浦警部は、いっています。証拠はなくて釈放したが、柴田名人をエア・ガンで狙撃した疑いで、調べた女だからだそうです」

と、亀井は、いった。

二台のパトカーは、走り去った。

「今、宗方は、あの旅館の中にいるのか？」

と、十津川は、紫雲荘に、眼をやった。

「三浦警部は、宗方に会って、事情聴取をしたといっていました。宗方の話では、午後三時頃に、置屋の花扇に電話して、午後六時に、ぼたんを寄越《よこ》してくれと、いったが、六時二十分を過ぎても、現われないので、もう一度、花扇に連絡した。ところが、とっくに、出ている筈だということで、女将が、騒ぎ出したということのようです」

と、亀井は、いった。

「宗方は――」

と、いいかけて、十津川は、旅館から、その宗方が、出て来るのを見つけた。

宗方は、タクシーに、乗り込む。

「追いかけてみよう」

と、十津川は、いった。

宗方が、行ったのは、温泉街の中心で、ヌード劇場などもある飲み屋街だった。

その一軒に入ったが、近くに、車が、駐《と》められない。

十津川と、亀井は、仕方なく、離れた駐車場に入れて、戻った。

「夜の河」という何となく古めかしい名前の店に入って行くと、宗方は、もう、大分、出来あがっていた。

十津川と、亀井は、隅のテーブルに腰を下し、ビールを頼んでから、宗方を見守った。

客の中に、芸者を連れた中年の男がいて、二人で、カラオケを始めた。

二人とも、かなり酔っていて、じゃれ始めた。抱き合って、キスする。男が胸に触る。胸元から手を入れて、乳房をつかむ。

芸者が、嬌声《きようせい》をあげる。

「うるせえ！」

突然、宗方が、大声で怒鳴った。

一時、静かになったあと、芸者と一緒の中年男が、怒鳴り返し、宗方は、カウンターから酔った足取りで近づき、いきなり、男に、殴りかかった。

芸者が、悲鳴をあげるかわりに、酔って、笑い声をあげ、店のママが、

「止《や》めなさいよ！　二人とも」

と、叫ぶ。

女の悲鳴や、叫び声は、たいてい、男を、けしかける役にしか立たない。

宗方が、もう一度、殴りかかり、中年男が、引っくりかえる。

男の顔から、血が、したたり落ちる。男は、よろよろと立ち上り、ワイヤレス・マイクを、宗方めがけて、投げつけた。

十津川と、亀井が、二人の間に、入って行って、

「止めなさい！」

と、声をかけた。

中年男は、その声で、床にへたり込んだ。が、宗方の方は、ふらふらと、店を出て行ってしまった。

「お客さん！」

と、あわてて、ママが、叫ぶ。

十津川が、彼女を制して、

「私が払うよ」

「お友だちですか？」

「ああ、ちょっとした知り合いでね」

と、十津川は、いった。

十津川が、宗方の分まで払って、店を出て、彼を探したが、見つからなかった。

もっと飲むために、他の店に入り込んだのか、ふらふら歩いて、旅館に帰ったのか、わからなかった。

と、いって、一軒一軒、店をのぞいて歩くわけにもいかない。

幸い、今夜は、暖かい。二人は、千曲川に向って、ゆっくり、歩いてみることにした。

長野県のこの辺りも、平野部では、桜は、すでに散って、葉桜になっている。

「宗方は、なじみのぼたんが、行方不明の上に、他の男が、芸者と仲良くやっていたんで、頭に来たんでしょう」

と、亀井が、歩きながら、いう。

「その、ぼたんは、どうしたのかね？　まさか、例の狙撃事件のことで、警察に調べられたんで、自分から、姿を消したのかね？」

十津川も、歩きながら、いう。

「しかし、あの芸者は、ここの生れですが、身寄りがいないと聞いています。逃げるといっても、行く場所がないんじゃありませんかね」

「身寄りがないのか？」

「私は、そう聞きました。だから、余計、負けん気なんでしょうが」

と、亀井は、いった。

千曲川の土手に出た。土手の上を歩く。

水量が少く、川原には、葦《あし》が、生い茂っていたり、小さな畠《はたけ》が作られたり、簡単な野球場が、出来ていたりする。

遠くを、出来たばかりのハイウェイが、走っている。

十津川は、歩きながら、煙草に火をつけた。

「あれ、千曲川って、北へ向って流れているんですね」

と、亀井が、月に光る川面《かわも》を見ながら、新発見でもしたように、いう。

「日本海に、注《そそ》いでいるんだ」

「そうなんですねえ。てっきり、太平洋に注いでいるとばかり、思っていたんです」

「旅館のパンフレットに出ていたよ。鮭《さけ》の子供を放流して、日本海から、遡《そ》行《こう》させる運動をしていいるんだよ」

と、十津川は、いった。

二人は、そのまま、清涼館ホテルまで帰った。レンタカーは、明日、取りに行けば、いいだろう。

部屋に入ると、仲居に、コーヒーを部屋まで運んで貰い、それを飲みながら、テレビのニュースを見た。

芸者ぼたんのことが、ニュースになるかと思ったからだった。

長野テレビに合せる。

名人戦第一局の結果が、報道されたあとで、

〈同じ戸倉上山田で、芸者が一人、行方不明になっています〉

と、アナウンサーがいい、画面に、着物姿のぼたんの写真が出た。

〈この芸者は、ぼたんさん二十六歳で、戸倉上山田温泉では、売れっ子の一人です。今夜、お座敷がかかり、午後六時に、旅館「紫雲荘」に出かけたまま、行方がわからなくなりました。警察も、探していますが、まだ、見つかっていません〉

「まだ見つからずか。ちょっと心配だな」

と、十津川は、いってから、東京に電話をかけて、西本に、

「週刊日本の記者で、伊知地という男がいる。三十歳ぐらいの男だ。この男のことを調べて

欲しい」

と、いった。

「幼女殺しに、関係のある男ですか？」

と、西本が、きく。

「わからないが、妙に気になるんだ。特に、宗方功八段に、関係のある人間かどうかを、知りたい」

と、十津川は、いった。

その電話がすむと、亀井が、十津川に、

「ぼたんの行方不明と、伊知地が、関係があると思われたんですか？」

と、きいた。

「カメさんは、どう思う？」

十津川が、聞き返した。

「もし、彼が、一枚嚙《か》んでいるとすると、問題は、動機ですね。宗方に対する嫌がらせですかね？」

と、亀井が、いう。

「宗方のなじみの芸者を、隠して、彼を怒らせるのか？」

「個人的な憎しみがあれば、そのくらいのことは、するでしょう」

と、亀井は、いった。

それにしても、ぼたんは、どうしたのだろうか？

自分から姿を消したのか？　それとも、誰かに、誘拐されてしまったのか？

夜が明けた。

亀井が、更埴警察署に電話して、聞いてみたが、ぼたんは、まだ、見つからないという返事だった。

「彼女は、置屋の近くのマンションに住んでいるんですが、そのマンションにも、置屋にも帰っていません」

と、三浦は、いった。

「紫雲荘にいる宗方八段の方は、どうですか？　彼のところに、いるんじゃありませんか？」

と、亀井は、きいてみた。

「彼のところにもいません。それも、確めました」

と、三浦は、いった。

昼になっても、芸者ぼたんは見つからず、警察も、やっと、本格的に、捜索を始めた。

テレビは、動機不明の誘拐かと、報じた。

十津川は、もう一日、戸倉上山田にいることに、決めた。

昼食は、ホテルで出ないので、外へ出て、手打ちそばを、食べることにした。

仲居に聞くと、「刀屋《かたなや》」というそば屋が、美味《うま》いという。手打ちだから、刀屋ということらしい。

十津川と、亀井は、レンタカーを飛ばして、刀屋に行った。

小さな店だが、客が一杯だった。

暖かかったので、十津川も、亀井も、ざるそばを頼もうと思い、品書きを見た。

普通、ざるそばというと、大と小があるのだが、この店は、大、中、小に、三つに分れていた。

十津川と、亀井が考えていると、店のおばさんがやって来て、

「大は、止《や》めておきなさいよ。お客さんなら、せいぜい中だね」

と、忠告するように、いった。

「そういわれると、どうしても、大が、食べたいな」

と、亀井が、いった。

「どうしても、大にするの？」

「ああ。今日は、腹がへってるんだ」

と、亀井が、いう。

「じゃあ、もう一人のお客さんは、小にしといた方がいいよ」

「どうして？」

十津川が、きくと、おばさんは、

「東京の人なら、二人で、大と小が、丁度いいよ。大と中じゃあ、食べ切れないよ」

「そんなにいうんなら、私は、小でいい」

と、十津川は、折れた。

おばさんは、ニッコリする。まず、小のざるそばが運ばれてきて、十津川は、おばさんの忠告がわかった。

この店の小は、東京で食べる普通の量で、中は、大なのだ。

亀井の前に、ざるそばの大が、運ばれてきた。それを見て、亀井が、

「こりゃあ、すごいな」

と、声をあげた。

丸いセイロの上に、手打ちそばが、雪だるまみたいに、盛りあがっている。大げさでなく、十二、三センチの高さがある。まるで、突き固めたみたいに、山になり、その上に、のりが、のっているのである。

「これで、八百円なら安いですよ」

と、亀井が、いう。

「安いより、カメさん。食べ切れるかい？」

と、十津川は、きいた。

「何とか、挑戦してみます」

と、亀井は、いったが、いくら食べても、そばの山は、なかなか、減ってくれない。

亀井が、途中で、ギブアップし、十津川が、手伝って、何とか、食べ終ることが出来た。

おばさんが、「よかったねえ」と、いってくれて、

「さっきも、東京のお客さんが、大を注文して、食べ切れずに、残しちゃったんだよ。もったいないことをしたよ」

「あれは、将棋の先生よ」

店で働いているもう一人のおばさんが、いった。

「将棋の先生って、宗方八段のこと？」

と、十津川が、きいた。

「ええ。その先生、昼少し前に見えたのよ」

「様子は、どうだった？」

と、亀井が、きいた。

「何だか、いらいらしてるみたいで、ご機嫌が悪かったよ」

と、おばさんは、いった。

「一人で来たの？」

十津川が、きいた。

「ええ。今日はね」

「というと、前にも、来たことがあるんだ？」

「一ヵ月くらい前だったかな。もうちょっと前かも知れないけど、あの先生、芸者さんと一緒に、食べに来たの」

「ぼたんちゃん」

と、もう一人、店で働いているおばさんが、注釈を入れた。

「芸者さんが、昼間、お客さんと一緒にデイトするなんて、珍しいから、よっぽど惚れてるんだなと思ってね」

「あのぼたんちゃん、行方不明なんだってねえ」

「どうしちゃったのかしらねえ」

「何かの事件に、巻き込まれたんじゃないかって、新聞に出てたよ」

三人のおばさんは、勝手に喋り出した。別に十津川たちに答を求めるのじゃなくて、いわば、狭い店の中で、井戸端会議を始めたのだ。

「一ヵ月前に、二人で来たときだけど、二人の様子は、どうだったの？」

と、十津川が、口を挟んだ。

「とても、仲良く見えたわよ」

「あれは、ぼたんちゃんの方が、惚れてたね。割《わ》り箸《ばし》を取ってやったり、ハンカチを出して、口元を拭《ぬぐ》ってやったりしてたから」

「あたし、ぼたんちゃんの気性を知ってるから、びっくりしちゃった。あの子、きれいで、売れっ子だけど、わがままで評判なのよ。客を客と思わなくて、いいたいことをいうんだそうだし、ケンカすると、すぐ、鉄砲を持ち出すって、聞いてたからねえ。その子が、甲斐《かい》がいしく、つくしてるんだもの」

「鉄砲じゃなくて、エア・ガン」

「じゃあ、ホテルの露天風呂で、お客を撃ったのも、ぼたんちゃんなの？」

「それは、犯人はわかってないのよ。ばか」

と、また、とめどのないおしゃべりが、再開される。

だが、十津川は、有難かった。宗方と、ぼたんの関係が、わかってきたからである。伊知地のいう通り、芸者のぼたんの方が、惚れているらしい。

「妙なものねえ。ぼたんちゃんみたいな子は、かえって、あの将棋の先生みたいな、わがままで、えばってる男に、惚れちゃうのねえ」

と、まだ、おばさんは、いっている。

「そんなに、えばっているように見えたかね？」

と、亀井が、きいた。

「そう見えたわね」

「ぼたんちゃんとの会話を聞いてたって、わかるわよ。ぼたんちゃんが、ご機嫌とってたもの」

「あれじゃあ、ぼたんちゃんが、可哀そう」

「惚れた女だから、はい、はいって、いってくれるのよ。あの先生、それがわかってるのかしら」

「ぼたんちゃんがいなくなって、わかったんじゃないの。今日は、ひとりで来て、ぶすっとしてたじゃない？　ご機嫌悪かったわよ」

「ざるの大は、余すから、中にしなさいっていったら、怖い目で睨《にら》まれたのよ。結局、食べ切れないのにねえ」

「ありがとう」

と、亀井が、いった。

「何なの？」

「いろいろ、参考になって、ありがたかった」

「お客さんたち、刑事さん？」

3

十津川と、亀井は、近くの空地に駐めておいたレンタカーに戻った。

気がつくと、刀屋の近くには、手打ちのラーメン店というのもある。手打ちのラーメンというのは、どういうラーメンなのだろう。

「手打ちは、メンが固いので、腹にもたれますね」

と、車に乗り込んでから、亀井が、いう。

十津川は、笑って、

「そりゃあ、カメさん、食べすぎだよ」

「腹ごなしに、少し歩きませんか」

と、亀井は、いった。

車で、千曲川に出て、橋を渡り、川原に車を置き、土手を歩くことにした。

十津川の携帯電話が鳴った。東京の西本刑事からで、ゆっくりと歩きながらの応答になった。

「伊知地という記者のことが、少しわかりました」

と、西本が、いう。

「話してくれ」

「東北のK大英文科を卒業したあと、東京の大手出版社に入社。ここでも、週刊誌の記者をしています。週刊オピニオンです」

「日本の世論をリードするみたいな奴だろう。大したものじゃないか」

「三年前に、編集長と大ゲンカをして、ここを飛び出しています」

「どんなことで、ケンカしたんだ？」

「何か事件の取材方法についてケンカしたらしいんですが、週刊オピニオン側は、ノーコメントなので、残念ながら、わかりません。その後、伊知地は、翻訳の仕事なんかのアルバイトをやっていたんですが、去年から、今の週刊日本に、入っています。週刊日本での評判ですが、優秀な記者だが、独走する傾向があるということです。現在、伊知地は、幼女殺しを追いかけているとのことですが、戸倉上山田に行っているのは、編集長は、昨日まで、知りませんでしたね」

「伊知地が、勝手にこっちに来ているのか？」

「そうらしいです。昨日、電話して来て、警視庁捜査一課の二人の刑事が、お忍びで来ているから、戸倉上山田で何かあるのは、間違いないといったそうです。調べたところ、事実だったので、滞在費を、送ったといっています」

と、西本は、いう。

(われわれを、ダシに使ってるのか)

と、十津川は、苦笑しながら、

「伊知地と、宗方功の関係は、何か見つかったか？」

と、きいた。

「幼女殺しが連続してからは、伊知地が、宗方に狙いをつけ、調べているのは、確かです。しかし、警部がいわれているのは、幼女殺しが起きる前のことでしょう？」

と、西本が、いう。

「その通りだよ」

「残念ながら、それ以前の二人の接点は、見つからないのです」

「しかし、何かある筈なんだ。なければおかしい。だから、見つけて欲しい」

と、十津川は、いって、電話を切った。

午後の陽差しが、千曲川の川面に注いでいる。眠くなるような気候だった。水が少いので川のところどころに、中州が出来て、川は、二条となったり、また合わさったりして、流れている。

「ああ、カモがいますよ」

と、亀井が、いった。

流れが、澱《よど》んだあたりに、二、三羽のカモが、見えた。

小さな畠や、ゴルフの練習場が出来ているあたりには、移動式のトイレが、一つ二つと立っている。

だが、人の姿はない。川原に畠を作ったものの、さして、収穫がないので、放ったらかしているのか。

ゴルフの練習場も、狭すぎるので、やる人がいないのだろう。移動トイレは、そこに立っているというより、そこに、放置されているという感じだった。

十月一日に開業する北陸新幹線の高架レールは、一本の白い線となって延びている。道路も新しくなった。

街並みも、新しくなりつつある。その中で、千曲川だけが、荒れている感じだった。

一時間ほど散策してから、二人は、車に戻り、清涼館ホテルに引き返した。

夕食は、六時にとった。

その時見たテレビのニュースは、五歳の幼女が、行方不明になったと告げていた。

4

行方不明になっているのは、戸倉上山田温泉の中にある小原《こはら》酒店の次女で、五歳の小原ハルミだった。

今日、幼稚園から帰ったあと、友だち五人と、千曲川の川原に、遊びに行った。姉で、小学二年生の小原ゆみも一緒だった。

午後三時過ぎに、子供たちは、それぞれの家に帰った。ゆみは、妹のハルミも一緒に帰ったと思っていたのに、彼女は、いなくなっていたのである。

母親に責められて、ゆみは、泣き出してしまった。

母親は、配達から帰って来た夫と一緒に、子供たちが遊んでいたという川原に、飛んで行き、必死になって、その周辺を探した。

だが、見つからない。

両親は、戸倉上山田交番に、届けた。

警察と、消防が、協力して、捜索を始めた。

警察が、まず考えたのは、事故だった。

今、千曲川の水量が少いといっても、流れの急な場所もあるし、五歳の幼女の背の立たないところもある。

小原ハルミは、蝶《ちょう》でも、追いかけていて、落ちたのではないか。

そう考え、下流にまで、範囲を広げて、探した。

それでも、見つからない。

テレビは、小原ハルミの写真をのせて、この事件を報じた。

十津川は、そのニュースに、嫌な予感を感じた。五歳の幼女ということから、どうしても、東京で起きた、連続幼女殺人を思い出してしまうからだった。

テレビの画面には、彼女がいなくなった場所が、地図で示された。

「われわれが、散歩していた場所より、ずっと、上流ですね」

と、亀井が、いう。

「すぐ、見つかるといいんだが」

と、十津川は、いった。

だが、九時のニュースでも、見つかったという話にはならず、懐中電灯を持って探す、警官や、消防署員、それに、両親の姿を、映し出した。

「行ってみよう。カメさん」

と、十津川は、腰をあげた。

車を、千曲川の土手に、走らせる。

懐中電灯の明りが見えた。広い川原では、いくつもの光も、頼りなく感じられる。

十津川たちは、ホテルで借りて来た懐中電灯のスイッチを入れて、川原に下りて行った。

さすがに、夜の川原は、寒い。

そんな中で、人々が、

「ハルミちゃーん！」

と、呼びながら、動いて行く。

風が吹いて、葦が、ざわざわとゆれる。すると、そこに、子供がいるのかと思って、人々が、あわてて、駈け寄って、探す。

だが、子供は、見つからなかった。

十津川と、亀井も、一緒になって、探して歩いた。

時間がたち、疲れて来て、「ハルミちゃーん！」と、呼びかける声も、かすれて、元気が、なくなってくる。

夜半を過ぎて、雨が降り出し、捜索は、いったん、中止された。

十津川と、亀井も、ホテルに戻った。

ホテルの部屋からは、千曲川が、見えるのだが、雨と、夜の暗さで、何も見えなくなっていた。

「まさかとは、思うんですが――」

と、亀井が、その闇に眼をやったまま、呟やく。

「カメさんも、同じことを、考えたか」

「しかし、ここは、東京じゃありませんから」

と、亀井は、いう。

「そうだ。ここは、戸倉上山田だよ」

と、十津川も、いった。

雨は、夜明けには、止んでいた。

十津川と、亀井は、朝食をすませると、再び、千曲川の土手に向った。

川原では、すでに、捜索が、再開されていた。

今日は、範囲を、もう少し、下流に広げることになった。

十津川たちも、その仲間に、加った。

昼すぎになって、人々の疲労が顔に出始めた頃になって、とうとう、小原ハルミが、死体で発見された。

昨日、十津川たちが見たような簡易移動トイレが、この辺りにも、ところどころに置かれているのだが、その一つから、小原ハルミが、死体で、見つかったのである。

死体には、首を絞められた痕があった。

更埴警察署から、三浦警部たちが、パトカーを連ねて、駈けつけて来た。

今日は、十津川も、三浦に、あいさつした。

三浦は、びっくりして、

「亀井刑事の話では、非番なので、名人戦を見に来られたということでしたが」

「そうなんですが、帰京しようとしたら、芸者の失踪事件があって、その結果を知りたくて、残ってしまったんですよ。そうしたら、今度は、子供が殺されて――」

と、十津川は、いった。

「そうですか。しかし、ここで起きた事件は、長野県警の管轄ですから」

三浦は、釘を刺すようないい方をした。

「もちろん、わかっています」

と、十津川は、いった。

鑑識が、移動トイレの指紋の検出や、周辺の足跡の採取を始めた。

小原ハルミの小さな死体は、司法解剖のために、大学病院へ、車で運ばれて行く。

「嫌な事件になりましたね」

と、亀井が、車を見送りながら、いった。

確かに、嫌な事件になってしまった。そして、東京の幼女殺人と、同じような事件にである。

「宗方は、どうしているんだろう?」

と、十津川が、いった。

「警部も、彼を、疑っておられるんですか?」

「気になることは、確かだよ。それに、芸者ぼたんのことも、気になる」

と、十津川は、いった。

「宗方の泊っている紫雲荘へ行ってみましょう」

と、亀井がいい、二人は、レンタカーを飛ばした。

亀井が、車からおりて、旅館の中へ入って行ったが、戻ってくると、

「宗方は、外出しているそうです」

「外出？」

「ええ。昨日も、朝食をすませると、車で、出かけて行き、暗くなってから、帰って来たそうです。それが、今朝もだそうです」

「昨日は、昼に、手打ちそばの刀屋に寄っているわけだが、芸者のぼたんが、いなくなって、荒れているということかな」

「昨夜も、他の泊り客と、ケンカをしたと、旅館の女将が、いっています」

と、亀井。

次に、二人は、芸者ぼたんのことを知りたくて、置屋「花扇」に、廻ってみた。

こちらは、何か、騒しい。先日と同じように、女将が、店の前に出て来て、やって来たタクシーに乗って、何処かへ走り去った。

亀井が、見送っている、若い芸者にきくと、

「ぼたん姐《ねえ》さんが、見つかったんです。それで、女将さんが、急いで、迎えに行ったんです」

と、嬉しそうに、いった。

十津川も、車からおりて、彼女から、詳しい話を聞くことにした。

「さっき、上田の警察から、電話があったんです。ぼたん姐さんが、見つかったって」

と、若い芸者は、興奮した口調でいう。

「じゃあ、無事だったんだ？」

「ええ」

「更埴の警察じゃなくて、上田の警察から、連絡があったんだね？」

と、十津川は、きいた。

「ええ」

「ぼたんちゃんは、今まで、何処にいたのかね？」

「わかりません。警察は、そのことは、何もいいませんから。ただ、身体が衰弱しているので、病院に入れるかも知れません」

と、若い芸者は、いった。

とにかく、十津川は、ほっとした。芸者のぼたんは、生きていたのだ。

十津川は、一つの疑問に、ぶつかっていた。

芸者ぼたんの失踪と、小原ハルミという五歳の幼女が殺されたこととと、繋がりがあるのか、それとも、全く別の事件なのかという疑問だった。

同時に発生した事件ではなかった。

芸者ぼたんの失踪が、まず起き、その翌日、幼女が、殺されている。

それに、小原ハルミは、殺されたが、ぼたんは、助かっている。

もちろん、いずれも、ここ長野県警の事件である。要請がなければ、十津川たちが、手を出すことは出来ない。

三浦警部も、釘を刺していたではないか。

十津川と、亀井は、ホテルに戻り、更に、もう一日、宿泊を延ばし、事件の経緯がわかるのを、待つより仕方がなかった。

夕方のテレビニュースで、芸者ぼたんのことが、報道された。

上田市周辺でも、北陸新幹線の開通を見越して、大きなスーパーや、食堂、果ては、結婚式場などが、新しく、開店しているが、逆に、今までの小さな食堂や、雑貨店などは、どんどん閉店していく。取りこわされた店もあれば、戸や窓が釘付けされて、廃屋になっているものもある。

その一軒に、芸者ぼたんは、ロープで縛られ、目かくしされて、監禁されていたのだという。

丸二日、監禁されていたために、衰弱していて、迎えに行った置屋の女将は、警察と相談して、上田市内の病院で、二、三日、静養させることにしたということだった。

ぼたんが、警察に話したところでは、二日前の夕方、紫雲荘からお座敷がかかり、出かけて行った。

ところが、紫雲荘の門を入ったところで、突然、背後から、クロロホルムのような臭いを嗅《か》がされ、気を失ってしまった。

気がついたときは、廃屋の中で、ロープで縛られ、目かくしをされていたというのである。

パンを口に押し込むように食べさせられてから、猿ぐつわもはめられ、放置された。

犯人について、男だったらしいが、相手が、口も利かず、目かくしされていたので、全くわからないと、いう。

犯人が、何の目的で、ぼたんを誘拐、監禁したのか、不明だと、県警は、発表した。

確かに、わからない事件に見える。

犯人は、芸者ぼたんを誘拐、監禁した。が、置屋を脅《おど》して、身代金を要求してもいないし、彼女を、何処かへ連れて行こうとしたわけでもない。

いや、一時、廃屋に監禁しておいて、そのあと、何処かに、連れて行こうと考えていたのかも知れないが、その前に、発見、救助された。

ぼたんは、自力で、猿ぐつわを外《はず》し、大声で、助けを呼び、助け出されたのである。

夜になって、三浦警部に電話をかけ、二つの事件のその後を聞いてみた。

「芸者ぼたんの件ですが、まだ、犯人が何者か、全く、わかっていません。彼女が監禁されていた廃屋ですが、指紋は、検出されていません。拭き取られた形跡があります。今、ロープと、目かくし、猿ぐつわに使われた手拭いの線で洗っているところです」

「子供の方は、どうですか？」

と、十津川は、きいた。

「司法解剖の結果が、わかりました。死因は、首を絞められたことによる窒息です。死亡推定時刻は、昨日の午後四時から五時の間です」

「いたずらされた形跡は？」

「ありました。被害者の膣内が、傷ついていました」

「精液は？」

「それは、見つかっていません」

「東京と同じだ」

と、十津川は、呟やいた。

東京で起きた幼女殺人。彼女たちの性器は、いたずらされ、傷ついていたが、性交の形跡はなかったのである。

それと同じなのだ。

「東京と同じ――ですか？」

電話の向うで、三浦の声が、緊張した。

「よく似ています」

「すると、東京の犯人が、この戸倉上山田にやって来たことになりますか？」

三浦の声が、一層、緊張し、甲高《かんだか》くなる。

「かも知れませんし、ここの誰かが、東京の犯罪を真似たのかも知れません」

と、十津川は、いった。

「これから、そちらへ行きます。どうしても、十津川さんに、お聞きしたいことが、出来ました」

と、三浦は、いい、電話を切ってしまった。

十津川は、受話器を置いてから、亀井に、

「三浦警部が、われわれに、会いに来る」

「何の用ですか？」

「われわれが、この戸倉上山田温泉に来た理由を聞きにだと思うね」

と、十津川は、いった。

「宗方功のことですか？」

「多分ね」

と、十津川は、いった。

けたたましいサイレンの音が聞こえた。

「参りましたね」

と、亀井が、呟やく。

「この辺の警察は、大らかなんだろう」

十津川が、苦笑しながら、いう。

そのサイレンの音が止んだと思うと、五、六分して、ドアがノックされ、三浦警部が、入って来た。

正《まさ》に、まなじりを決してという感じで、十津川を見すえ、

「正直に話して下さい。幼女殺しの件で、この戸倉上山田に来られたんでしょう？　将棋の名人戦を見に来たなんて話は、もう信じませんよ」

と、まくし立てた。

「まあ、落ち着いて下さい」

と、十津川は、いい、三浦を座らせ、お茶をすすめてから、

「東京で起きた連続幼女殺人事件ですが、幸い助かった幼女の証言で、犯人のモンタージュが作られています」

「それは、公開されていませんね」

「何しろ六歳の幼女の証言ですからね。もし、そのモンタージュが間違っていたら、大変なことになる。それで、参考資料ということになっているのです。ただどこからか、マスコミ

の一部に洩れてしまったのは、事実です」

「そのモンタージュが、プロ棋士の宗方八段に似ているんですね？」

「それに、犯人は、シルバーメタリックのベンツを乗り廻している可能性があるのです」

「なるほど。宗方八段の車は、シルバーメタリックのベンツですね」

「もう一つ、犯人は、この地方の方言を使っているという話もあります」

「宗方は、上田の生れだ」

「それで、今回、戸倉上山田で、名人戦が行われるので、亀井刑事と、来てみたわけです。宗方八段を、容疑者扱いする気はありませんが、一応、どんな男か、じっくり、見てみようと思って、来てみたわけです」

と、十津川は、いった。

「その宗方が、ここにいる間に、五歳の幼女が、いたずらされて、殺された。十分に、怪しいですよ」

と、三浦は、いう。

「そうです」

「宗方の事情聴取を行いましょう」

「しかし、状況証拠だけです。しかも、ここでは、目撃者もいません。小原ハルミちゃんと、宗方が一緒にいるのを見た人間もいないし、現場付近で、シルバーメタリックのベンツを見た人もです」

「だが、事情聴取ぐらいはいいでしょう」

三浦は、顔を赤くして、いった。

「ここは、長野ですから、私たちが、反対する権利はありませんが」

と、十津川は、いった。

「そうです。これは、長野県警の事件です。宗方の事情聴取は、やらせて貰いますよ。しっかりと、真実を明らかにします」

三浦は、自分にいい聞かせるようにいい、部屋を出て行った。

亀井が、それを見送って、

「事情聴取ですか」

「宗方は、否定するに決っている」

「そうでしょうね」

「その時、どうするのかな?」

と、十津川は、心配そうに、いった。

宗方が、幼女殺しの犯人かどうか、十津川にも、わからない。犯人なら、性急な事情聴取は、彼を用心させてしまうだろうし、犯人でなければ、事態を混乱させてしまう恐れがある。

どちらにしろ、ここは、東京ではないから、十津川たちには、どうすることも出来ない。

「カメさん。芸者のぼたんのことだがねえ」

と、間をおいて、十津川は、いった。

「ええ」

「彼女を誘拐、監禁したのは、誰だろう？」

「宗方功でないことは、はっきりしています。彼には、ぼたんを誘拐、監禁する理由がありません」

と、亀井が、いった。

「果して、そうかな？」

「たとえ、宗方が、幼女殺しの犯人だとしても、ぼたんは、彼の味方ですよ。彼に惚れている。そんな大事な女を、誘拐、監禁するなんてことは、あり得ませんから」

と、亀井は、力説した。

「だがね。宗方が、ぼたんに気を許して、うっかり、幼女殺しについて、口を滑らせてしまったとしたら、事情が、変ってくるんじゃないかね？」

「ぼたんの口を封じようとする――ですか？」

「ああ」

「しかし、その場合、丸二日間も、監禁しておくような悠長な真似はしておかんでしょう。

すぐ、殺してしまうと思うのです。逃げられたら、それこそ、命取りになるし、現に、逃げられています」

と、亀井は、いう。

「すると、カメさんは、誰が、ぼたんを誘拐したと思っているんだ？」

十津川は、煙草を取り出しながら、きいた。

「伊知地という記者です」

亀井が、ずばりと、いう。

「彼だという理由は？」

と、十津川は、きき、煙草に火をつけた。

「伊知地の、宗方に対する気持は、異常です。彼は、幼女殺しの犯人は、宗方だと、決めつけています。そこで、こう考えたんだと思います。宗方を、追い詰めれば、また、この戸倉上山田でも、幼女殺しに走るのではないかと。そこで、柴田名人をエア・ガンで狙撃し、それを、宗方が、勝ちたいために、芸者のぼたんにやらせたという噂を流して、宗方を動揺させた。宗方は、まんまと、対局に敗けて、追い込まれていきます。しかし、芸者ぼたんがいたのでは、慰《なぐさ》められてしまう。そこで、彼女を誘拐、監禁してしまう。宗方は、ますます、いらだち、感情が、激して来て、ついに、その捌《は》け口《ぐち》を求めて、この戸倉上山田でも、幼女にいたずらし、殺してしまった。こんなストーリイも、考えられますよ」

と、亀井は、いった。

「それには、伊知地の宗方に対する気持がわからないと、何ともいえないがね」

と、十津川は、慎重に、いった。

一時間ほどして、県警が、紫雲荘にいた宗方功に、任意同行を求め、捜査本部のある更埴警察署に連れて行ったという話が、伝わって来た。

ほとんど同時に、東京の三上《みかみ》刑事部長から、十津川に、電話が、入った。

「今、長野県警から、捜査の参考にしたいから、東京で起きた幼女殺人事件の資料を、全部、送ってくれといって来たぞ。どうなってるんだ？」

と、三上部長が、きく。

「こちらでも、幼女殺しが、発生しました」

と、十津川は、いった。

「そんなことは、とっくにわかってるよ。問題は、われわれの面目《めんぼく》ということだ。未遂を含めて、三件も、東京で、事件が起きているのに、いまだに、容疑者さえわからずにいる。それなのに、長野県警が、犯人の目星をつけたとなれば、警視庁の面子《メンツ》は、丸潰れになる」

「県警も、まだ、参考人として、宗方功に話を聞くという段階です」

と、十津川は、いった。

「そんなに、のんびり構えていて、いいのかね？」

「宗方が、犯人だという証拠は、まだ、何もありません」

と、十津川は、いった。

「もし、彼が犯人だとしたら、最初に、彼に手錠をかけるのは、われわれでなければならんのだ。君も、それは、しっかりと、心に刻んでおいてくれよ」

と、三上はいって、電話を切ってしまった。

それを待っていたように、また、部屋の電話が鳴った。

十津川が、受話器を取ると、

「十津川さんは、何をもたもたしてるんですか？」

と、聞き覚えのある男の声が、いった。

「伊知地君か？」

「そうです。長野県警は、素早く、宗方功の事情聴取を始めました」

「それは、知っている」

「なぜ、警視庁が、手をこまねいて、見ているんです？　僕には、職務怠慢としか思えませんね」

「今、何処にいるんだ？」

「更埴警察署ですよ。取材に来てるんです。他の週刊誌や、新聞も来ていますよ」

と、伊知地は、いった。

「私たちは、君に聞きたいことがある」

と、十津川は、いった。

「僕にですか？」

「そうだ。君にだ」

と、十津川は、いった。

第三章　左フェンダー

1

十津川と、亀井は、更埴警察署に向った。

二人が着いた時、伊知地が、出てくるところで、顔が合うと、

「宗方は、事情聴取が終って、もう帰りましたよ」

と、いった。

「私たちは、電話でいったように、彼より、君に聞きたいことがあるんだよ」

と、十津川は、いった。

伊知地は、首をかしげて、

「僕は何も知りませんよ。今、一番大事なのは、幼女殺しの犯人を捕えることでしょう？それなら、僕に話を聞くより、宗方功に、話を聞く方が、いいんじゃありませんか？」

「君は、そういうが、私たちは、君に用がある。逃げる気かね？」

と、十津川は、いった。

「逃げる必要なんかないでしょう。いいですよ。どんなことか、聞きましょう」

と、伊知地は、いった。

十津川は、彼を近くの小さな喫茶店に連れて行った。

コーヒーを頼んだあとで、十津川は、単刀直入に、

「芸者のぼたんを誘拐したのは、君か？」

と、きいた。

伊知地は、文字通り、眼をむいて、十津川を見て、

「僕が、どうして、芸者を誘拐しなきゃならんのですか？」

「理由は、簡単だ。君は、なぜか、宗方を、幼女殺しの犯人と、決めつけている。それを証明しようとして、ぼたんを誘拐したんだ。違うか？」

と、亀井が、決めつけるように、いった。

伊知地は、大げさに、手を振って、

「困りますね。そんな決めつけ方をされたんじゃあ。僕は、何もしていませんよ。どこが怪しいのか、説明して下さいよ」

と、いう。

「君は、今もいったように、宗方を、幼女殺しの犯人と決めつけている。この上山田でも、彼を追いつめれば、また、幼女殺しをやるんじゃないかと、考えたんだろう？　そこで、芸者のぼたんを誘拐したんだ。この上山田で、彼女が、宗方の救いになっているからだよ」

「まだ、よくわかりませんが」

「彼女が姿を消してしまえば、宗方を慰める人間は、いなくなる。名人戦の第一局に敗れて、鬱屈《うっくつ》した気分は、どんどん内向して、また、幼女殺しを犯すだろうと、君は考えた。そこで、ぼたんを誘拐し、閉じ込めたんだ」

と、亀井が、いった。

伊知地は、また、手を振って、

「僕が、あの芸者を誘拐したという証拠でもあるんですか？」

「証拠はない。だが、君だという推測は、出来るんだ」

「どんな風にです？」

「普通、誘拐の目的は、金だ。だが、今度の犯人は、一度も、身代金を要求していない。ということは、他に目的があったということになる。目的は、いったい何だったのかと考えると、浮んでくるのが、宗方のことなんだよ。芸者ぼたんは、宗方に惚《ほ》れていた。宗方の方も、彼女が、救いとなっていた。だから、彼女を誘拐した人間の目的は、二人を引き裂くことにあったとしか、思えないんだよ。つまり、宗方を心理的に追いつめることがだ」

十津川は、まっすぐ、伊知地を見すえるようにして、いった。

伊知地は、負けずに、十津川を見返して、

「証拠はないんでしょう？　僕が、ぼたんを誘拐したという証拠は」

「あれば、今頃、君を逮捕しているよ」

「十津川さんは、僕に対して、変な先入観があるんじゃありませんか？」

「そうかね？」

「僕は、確かに、宗方功が、幼女殺しの犯人じゃないかと、疑っていますよ。状況証拠が、全て、彼を指しているからです。警察だって、彼が怪しいと思うから、わざわざ、東京から、上山田へ来られたんでしょう？　同じですよ。僕は、宗方を疑っているし、犯人だと思っているが、だからといって、彼を、犯人に仕立てようなんてことは、考えていませんよ。第一、そんな力は、僕にはありません。僕は、幼女殺しを、もう、ストップさせたいと思っているだけです」

伊知地は、熱っぽく、いう。

「しかし、私たちから見て、君の、宗方に対する態度は、異常に見えるんだよ。ひょっとして、宗方功に対して、個人的な恨みがあるんじゃないかとね」

亀井が、いうと、伊知地は笑って、

「警察は、その線で、僕のことを、調べたんじゃありませんか？」

「それについては、ノーコメントだな」

「と、いうことは、調べたということでしょう。だが、何も出て来なかった。当然ですよ。僕は、宗方に、個人的な恨みなんか、一片も持ってないんだ。宗方を犯人だから、許せないと、思っているだけなんですよ。それに、僕は正面から、彼を追いつめて行きたいんで、卑《ひ》怯《きょう》な真似はしませんよ」

と、伊知地は、いった。

「ぼたんは、二日間にわたって、誘拐、監禁されていた。その間、君は、何処《どこ》にいたのかね？　その二日間、君の顔を見なかったが」

十津川は、伊知地に、きいた。

「まだ、僕を疑っているんですか？　僕は、この二日間、ずっと、彼を見張っていたんです」

と、伊知地は、いう。

「彼というのは、宗方のことか？」

「もちろんです。幼女殺しの犯人なら、この上山田でも、犯行に走るかも知れませんからね。それを防ぎたかったんです」

「それで、どうなったんだ？　ここでも、幼女が殺されている。その時、君は、宗方が、幼女を殺すのを、目撃したとでもいうのかね？」

亀井が、厳しい眼で、伊知地を見つめた。

「それが、あの日は、彼に、まかれてしまったんですよ」

「まかれた？」

「ええ。あの日も、宗方の車を尾行しました。彼が、昼頃、刀屋というそば屋に入るところまでは、確認したんです」

と、伊知地は、いった。

「その店なら、知っているよ」

「そのあと、宗方のベンツを見失ってしまったんです。完全に、まかれたんです」

「まかれたというのは、彼が、君の尾行に気付いていたということなのか？」

十津川は、半信半疑で、きいた。

「そう思わざるを得ませんね。刀屋までは、簡単に、尾行できたんです。ところが、刀屋を出た直後に、あっさり、まかれてしまいました」

「君も、車で、尾行したのか？」

「そうです。レンタルで、カローラを借りて、それで尾行していたんですよ。刀屋を出たあと、宗方は、急にスピードをあげましてね。向うは、ベンツのＣ２８０だから、僕のカローラとは、馬力が、全然、違います。簡単にまかれてしまいました。こいつは、危いなと思ったら、この日の午後になって、上山田温泉の女の子が、行方不明になったんです」

「宗方に、まかれたあと、君は、どうしたんだ？」

「これは、危いと思って、必死に、宗方の車を探しましたよ。だが、見つからなかった。夕方になって、上山田温泉の幼女が一人、行方不明になっていると聞いたんです」

「そういうことを、ここの警察に、話したのかね？」

と、十津川は、きいた。

「いや。まだ、話していません」

「なぜ？　自信満々なのに、おかしいじゃないか？」

と、亀井が、きく。

「証拠をつかんで、僕の手で、捕えてやりたいからですよ」

と、伊知地は、いった。

2

十津川と、亀井は、伊知地と別れたあと、更埴警察署で、三浦警部に会った。

「宗方功の事情聴取をされたそうですね」

と、十津川が、いうと、三浦は、肯《うなず》いて、

「別に、宗方八段を、犯人だと断定したわけではありません」

「では、なぜ、事情聴取を？」

「実は、電話があったのです。宗方が、小原酒店の次女、小原ハルミを殺したから、ぜひ、調べてくれという電話でした」

三浦はいい、その電話の録音を聞かせてくれた。

妙に甲高《かんだか》い声は、多分、小型の変声器を使っているのだろう。


「もし、もし」

——幼女殺人事件の担当の刑事さんを出して下さい。

「三浦警部です。用件をいって下さい」

——小原ハルミちゃんを殺した犯人を知っています。

「誰ですか？」

——東京から、上山田に来ている宗方八段です。彼は、東京でも、幼い女の子を殺しています。

「何か証拠でもあるんですか？」

——彼が、小原ハルミを、車に乗せるところを見たんですよ。シルバーメタリックのベンツにです。とにかく、逮捕して、訊問《じんもん》して下さい。

「あなたの名前は？」

——僕の名前なんか、どうだっていいでしょう。次の幼女殺人を防ぐためにも、犯人である宗方功を逮捕して下さい。

「逮捕するには、証拠が必要なんですよ。あなたが、目撃者なら、あなたが、出て来て、証言してくれないと困るんです。名前と、連絡先を教えて下さい」

——お願いしますよ。犯人を逮捕して下さい。

「この電話がなくても、宗方功の事情聴取はやるつもりでしたから、任意同行を求めて、来て貰《もら》いました」

と、三浦は、いった。

「宗方の様子は、どうでした？」

十津川が、きく。

「落ち着きがなかったですね。さっそく、昨日の午後四時から五時までのアリバイを質問しました」

と、三浦は、いった。

「宗方は、何と答えたんですか？」

「将棋には負けたし、面白くないので、うさ晴らしに、千曲川の周辺を、車を飛ばしていたというんです」

「土手の上の道路ということですか？」

「そうです。暗くなってからは、上田市のパチンコ店で、一時間くらい遊んで、旅館には、十時頃に、帰ったといっています」

「目撃者は、いない？」

「今のところ、いませんね」

と、三浦は、いってから、

「今になって、わかったことがあるんですよ」

と、十津川に、いう。

「何ですか？」

「殺された小原ハルミちゃんですが、両脚に、打撲の痕《あと》があることが、わかったんです。まだ、公表していませんが」

と、三浦は、いった。

「どういうことですか、犯人が、五歳の幼女の両脚を、殴りつけたということですか？」

「最初、そう考えました。が、司法解剖した医者の話では、殴られたという傷ではなく、何処かに、ぶつけたのではないかというのです。それに、額にも、同じように、ぶつけた傷があったといっています」

と、三浦は、いう。

「具体的に、どういう状況が、考えられるんですか?」

と、十津川が、きいた。

「こういうことです。犯人は、小原ハルミを自分の車に乗せた。多分、助手席に乗せたと思うのです。そうして、乗っている間に、急ブレーキを踏むか、何かに、車をぶつけてしまった。その時、小原ハルミは、助手席から、放り出されて、額を打ち、両脚を、何かに、ぶつけたのではないかというわけです」

と、三浦は、いった。

「それで、彼女が、死んだというわけではないんでしょう?」

「死因は、あくまでも、首を絞められたことによる窒息です」

と、三浦は、いった。

「とすると、面白いですね。犯人の車が、彼女を乗せて、走行中に、何かにぶつかったとすると、車に、その痕跡がつきますね。当然、宗方が犯人なら、彼のベンツに、その痕があるわけだ。もう、調べたんでしょう?」

と、十津川は、いった。

三浦は、ニッコリして、

「宗方八段には、ベンツに乗って、来て貰いましたから、事情聴取をしている間に、鑑識に、調べて貰いました」

「それで、結果は?」

と、十津川が、緊張した顔で、きいた。

「ベンツのフロントの左側フェンダーに、ぶつけた痕があるのが、わかりました。わずかですが、塗料が、剝《は》げ落《お》ちていると報告されて来ました」

三浦は、ニッコリする。

「助手席の中も、鑑識が、調べたんでしょう?」

と、亀井が、きいた。

「小原ハルミの髪の毛が、落ちていたら、証拠物件になると思って、鑑識に頼みましたが、これは、見つかりませんでした」

と、三浦は、いった。

「宗方功には、車の傷のことは、聞いてみたんですか?」

「もちろん、聞きました」

「その結果は?」

「上田市内を走っている時に、対向車をよけようとして、左のフェンダーを、コンクリートの電柱にぶつけたんだといっていました」

「上田市内でですか」

「そうなんです。上田市内では、小原ハルミが発見された現場から、遠過ぎます。彼女が、誘拐されたと思われる地点からもです。これが、現場付近で、電柱にぶつけたということなら、彼を犯人とする状況証拠になるんですがね」

と、三浦は、壁にかかった地図を、指さした。

千曲川を中心にした地図で、一番北に、更埴市があり、真ん中あたりが、上山田温泉、そして一番南が、上田市である。

その間を、千曲川は、ゆるやかに、蛇行しながら、流れている。

上山田温泉のところに、×印があるのは、小原ハルミが、いなくなった地点、もう一つの×印は、彼女が、死体で、発見された場所である。

発見された場所は、上山田温泉から、更埴寄りである。

確かに、犯人が、上山田温泉近くの川原で、小原ハルミを、車に乗せ、約十分かかる上田市内へ車で走り、そこで、電柱に、車をぶつけたというのは不自然である。

宗方が、昼食に寄った刀屋は上田市内にある。

「宗方は、何時頃、車をぶつけたと、いっているんですか？」

と、十津川は、三浦に、きいた。

「刀屋で、そばを食べたあとだと、いっていますね。午後一時少し前だと」

「もし、それが、本当だとすると、彼は、犯人ではなくなりますね。その時には、まだ、小原ハルミは、誘拐されてないんだから」

「その通りです」

「目撃者は、どうなんですか？　宗方が、上田市内で、電柱に、車をぶつけたのを目撃した人間がいれば、この件は結着がつくと思いますが」

と、十津川が、いうと、三浦は、

「私も、そう思って、今、上田市内で、聞き込みをやっています。目撃者がいれば、少くとも、宗方の話が、事実だとなりますから」

と、いった。

「小原ハルミちゃんの解剖結果ですが、他に、何かわかったことは、ありませんか？」

と、亀井が、きいた。

「胃の内容物について、わかったことがあります。チョコレートが、少し残っていました。今、そのチョコレートの成分を、調べて貰っているところです」

三浦が、いうと、十津川は、

「多分、砂糖、ココアバターに、香料、レシチンなどが含まれていると思いますよ」

と、いった。

「なぜ、そう思うんですか？」

三浦が、驚いて、きく。

「これは、公表されていないのですが、東京で殺された二人の幼女の胃の中からも、少量のチョコレートが検出され、そのチョコレートの成分が、今いったものなのです」

「つまり、犯人が、幼女を誘拐したあと、その成分のチョコレートを、幼女に与えているということですか？」

「そう思っています。少し苦味のあるチョコレートで、大人の味といった感じです。香料が入っているのでね。子供が好きというより、犯人が好きなチョコレートだと思います」

と、十津川は、いった。

「宗方が、よくチョコレートを食べているとしたら、状況証拠にはなりますね」

三浦が、眼を光らせて、いった。

「そうです。大人でも、チョコレートは、食べますから、あくまで、状況証拠にしかなりませんが」

と、十津川は、慎重に、いった。

宗方功が、チョコレートを、よく持ち歩くかどうかわからない。

少くとも、柴田名人との対局の場では、チョコレートは、食べていない。

犯人は、幼女を誘拐するための小道具として、チョコレートを使ったのか、それとも、よくチョコレートを持っていて、それを、たまたま、誘拐した幼女に与えたのか、どちらだろうか？

十津川は、後者のような気がするのだ。成分からみて、いわゆる大人の味で、苦味がある。幼女を車に乗せるための小道具なら、もっと、甘い、子供向きのチョコレートを、使うだろうと、思ったからである。

「くわしい成分が、わかったら、知らせて下さい」

と、十津川は、いったあと、

「これから、宗方と、芸者のぼたんに会ってみようと思いますが、構いませんか?」

と、きいた。

「もちろん、構いません。ただ、何か新しい事実がわかったら、私たちに、知らせて下さい」

と、三浦も、いった。

十津川と、亀井は、その足で、ぼたんが入っている病院に向った。

病院の前の駐車場に、見覚えのあるシルバーメタリックのベンツが、とまっているのが、眼に入った。

「宗方の車ですよ」

と、亀井がいい、二人で、車のフロントに廻ってみると、左のフェンダーに、小さな凹《へこ》みがあるのが、わかった。

「これですか」

と、亀井は、その部分を、手でなぜた。

三階の病室に行くと、宗方が、いた。

十津川が、警察手帳を示すと、宗方は、

「僕は、遠慮していましょうか？」

と、十津川は、いった。

「あなたにも、聞きたいことがあるので、外で、待っていてくれませんか」

と、十津川は、いった。

宗方が、病室を出て行ったあと、十津川は、ベッドのぼたんに向って、

「大変な目にあいましたね」

と、声をかけた。

ぼたんは、気の強そうな眼で、二人の刑事を見上げた。

「柴田さんをエア・ガンで、撃ったのは、あたしじゃありませんよ」

と、いった。

「宗方に頼まれて、撃ったんじゃないのか？」

と、亀井が、きく。

「どうして、宗方さんが、そんなことを、あたしに、頼まなきゃいけないの？」

「彼は、名人位を手に入れたがっていた。何としてでもね。だから、君に頼んで、名人を、動揺させようとしたんじゃないのかね？」

亀井が、更に、きく。

ぼたんは、眼をとがらせて、

「宗方さんは、優勢だったのよ。それなのに、どうして、小細工をする必要があるのよ。あれは、誰かが、宗方さんを動揺させようとしてやったことだわ」

「誰が？」

「名人の側の人間よ。名人の自作自演かも知れないわ。勝てそうもない局面だったし、負ければ、名人戦は、宗方さんがずっと有利になったのよ。だから、自作自演の芝居をしたうえ、宗方さんに、嫌がらせの手紙を送りつけて、彼を動揺させたのよ。その結果、まんまと、柴田名人は、宗方さんに、勝っちゃったじゃないの」

「手紙のことは、宗方八段に、聞いたのかね？」

と、十津川が、きいた。

「ええ。卑怯よ。やり方が」

と、ぼたんは、いった。

「君が、誘拐され、監禁された事件だが、犯人に心当りは、全くないのかね？」

と、十津川は、きいた。

「ないわ。とにかく、いきなり、背後《うしろ》から、襲われて、クスリを嗅《か》がされて、意識を失っちゃったんだから」

と、ぼたんは、怒ったような声で、いう。

「襲われたのは、宗方八段が泊っていた旅館の近くだね？」

「ええ」

「君は、そこから、上田市の廃屋に運ばれた。多分、車でね。それも、覚えてないのか？」

「ええ。ぜんぜん」

「そのあとは？」

「気がついても、手足を縛られているし、目かくしをされているから、逃げられなかったわ」

「犯人は、水ぐらいは、飲ませてくれたんじゃないのか？　パンも食べさせてくれたということだけど」

と、亀井が、きいた。

「ええ。でも、その時でも、目かくしはされていたから、犯人の顔は、見てないのよ。ここの警察にも話したんだけど」

「犯人の声は？　一言か二言は喋《しゃべ》ったんだろう？」

「それなんだけど、妙に、甲高くて、気味の悪い声だった」

「やっぱりね」

「やっぱり？」

「多分、変声器という機械を通して、話したんだと思う。その機械を通すと、妙に甲高い声になるんだよ」

と、十津川は、いった。

「じゃあ、あたしが聞いた声は、参考にはならないわね」

と、ぼたんは、いう。

「そうです。声は参考にならない。他に、何か感じたことは、ありませんか?」

と、十津川は、きいた。

「感じたというのは――?」

「そうですねえ。犯人の匂い、犯人の癖、足音、何でもいいんです。目かくしされていても、感じたことがあるんでしょう?」

と、十津川は、いった。

「そういわれても――」

「眼を閉じて、考えてみて下さい。犯人が、君に近づいてくる時の足音だって、覚えているんじゃないかな」

と、十津川は、いうと、ぼたんは、寝たまま、眼を閉じた。

「犯人の足音は、ほとんど聞こえなかったわ。あの部屋に入って来る時も、出て行く時も。だから、とても、気味が悪かったの」

「犯人は、スニーカーでもはいていたのかな。或は、ゴム底の靴をはいていたか」

と、亀井が、いった。

「他には？」

と、十津川が、先を促す。

「煙草《たばこ》を吸ってた。煙草の匂いがしたわ」

と、ぼたんが、いう。

「しかし、ここの警察は、あの家には、煙草の吸殻が、あったとは、いっていないな」

「じゃあ、犯人が、持ち去ったのかしら？」

「多分ね、吸殻についた唾液から、血液型がわかることがあるからね」

と、十津川は、いった。

「それでも、犯人が、煙草を吸っていたことがわかったのは、プラスですよ」

と、亀井は、いった。

3

ぼたんと話したあと、十津川と亀井は、廊下に待たせておいた宗方を連れて、病院近くの喫茶店に行った。

「東京の警察も、僕のことを、疑っているんですか？」

と、宗方は、腰を下すなり、十津川を睨《にら》んだ。

「疑いは持っています。状況証拠は、あなたが、犯人ではないかと、疑うだけのものがある。被害者の作ったモンタージュ、犯人が使用するシルバーメタリックのベンツ、エトセトラ。だが、確証はない。そんなところです」

「僕は、犯人じゃありませんよ」

と、宗方は、いった。

「われわれも、そうであって欲しいと、願っていますよ」

と、十津川は、いった。

「それでは、一つずつ、質問をさせて頂きたい」

亀井が、手帳を取り出した。

「ここの警察に、事情聴取されましたよ。そこで、聞いたら早いんじゃないですか?」

と、宗方は肩をすくめた。

十津川は、わかっているというように、肯いて見せてから、

「私としては、直接、あなたから、お聞きしたいのですよ」

「何が聞きたいんです?」

と、宗方は、渋面《じゅうめん》を作って、十津川に、きく。

「伊知地という男を知っていますか?」

と、十津川は、きいた。

宗方は、一瞬、戸惑いの色を見せて、「え？」と聞き返した。てっきり、幼女殺しについて質問されると、思っていたからだろう。

「週刊日本の伊知地という記者です。知っていますか？」

と、十津川は、重ねて、きいた。

「ああ、対局の時、無礼な質問をしてきた記者でしょう？　その時、顔は、見ています」

と、宗方は、いった。

「その伊知地記者ですが、ずっと以前から、あなたのことを知っている、関心を持っているような気がするのです。前から、ご存知じゃなかったですか？」

と、十津川は、きいた。

「知りませんよ。伊知地記者は、どういってるんですか？」

宗方が、逆に、きく。

「彼は、前から知っていたわけじゃないといっています」

「それなら、それでいいじゃありませんか。僕の方は、尚更《なおさら》、一人の週刊誌記者なんか、覚えていませんよ」

「われわれは、伊知地記者が、嘘をついていると思っているんですよ」

と、十津川は、いった。

宗方は、眉をひそめて、

「どういうことですか？」

「伊知地記者は、ずっと前から、あなたを知っていたと思うのです。当然、あなたの方も、彼を知っていた筈《はず》だと」

「いや、僕は、知りませんよ」

「そうですか？　彼は、あなたに対して、なぜか、恨みを抱いているような気がするのですよ。その理由を、われわれは、知りたいのです」

と、十津川が、いうと、宗方は、

「僕だって、知りたいですよ。知らずに、他人《ひと》の恨みをかっているというのは、気味が悪いですからね」

「上山田の小原ハルミという幼女が、殺されたことは知っていますね？」

「もちろん、知っていますよ」

「更埴警察署で、その件で、いろいろ、聞かれたでしょう？」

「事情聴取されましたよ。その時もいいましたが、僕は犯人じゃありません」

「あなたが、車をぶつけたことは、聞きました。上田市内で、電柱に、ぶつけたそうですね」

と、十津川は、いった。

「ええ。食事したあとで、ぶつけました。ぶつけたといっても、ちょっと、こすっただけですけどね」

と、宗方は、苦笑した。

「場所は、わかりますか？」

「場所？　どうして、そんなことを聞くんですか？　別に、人身事故を起こしたわけじゃないんですよ。電柱を倒したわけでもありませんよ。軽く、こすっただけなんだから」

「ただ、あの日の宗方さんの行動を知りたいだけなんですよ。車をぶつけた時ですが」

「ぶつけたんじゃなくて、こすったんです」

「そのこすった時に、誰か見ていませんでしたかね？」

「覚えていませんね。狭い道路で、対向車とすれ違う時、こすったんです」

宗方は、相変らず、怒ったような口調で、いう。

「その対向車は、どんな車ですか？」

と、亀井が、きく。

「確か、白いライトバンでしたよ。営業車でしたね」

「運転していたのは、男、それとも女？」

「男だったと思うけど、何なんですか？　今もいったように、人身事故を起こしたわけじゃないんですよ」

「まあ、まあ、怒らないで——」

と、亀井は、微笑しながら、

「芸者のぼたんさんのことですが、彼女が、エア・ガンで、柴田名人を撃ったのではないかという疑惑が持たれています」

「的外れですよ。僕が頼んで、やらせたというんだろうけど、そんなことを、僕がやらせる筈がないじゃありませんか。あの時点で、僕の方が、有利な局面だったんですよ。そんな時、なぜ、名人を撃たせたりするんですか？」

と、宗方は、声を荒らげた。

十津川が、肯いて、

「確かに、あなたは、結果的に、悪手を打って、負けてしまったんでしたね」

「そうですよ」

「あの悪手は、気持が動揺していたからですか？」

と、十津川は、きいた。

「いいわけはしたくない」

宗方は、ぶぜんとした顔で、いった。

「あの時、手紙が、あなたの控室に、入っていましたね。あなたの担当の仲居さんが、いっていましたよ」

「ああ、あの手紙ね」

　と、宗方は、肯いた。

「それを見て、あなたは、動揺して、悪手を指してしまった。そういうことだと思うんですが、手紙には、何が書いてあったんですか？」

　十津川が、きくと、宗方は、

「違いますよ」

「違う？　何が違うんですか？」

「手紙は、名人戦をがんばって下さいというファンからの激励でした」

「ファンレター？」

「そうですよ。多分、あの旅館に泊っていた人の中に、僕のファンがいて、激励してくれたんだと思います。嬉しかったですよ」

　と、宗方は、いう。

「では、素人《しろうと》でも指さないような、あんな悪手を指してしまったのは、なぜなんですか？」

　と、十津川は、きいた。

「あれは、あくまでも、僕が未熟なせいです。この一局に勝てば、名人位に近づくと思って、気持が高ぶってしまって、つい、悪手を指してしまった。そういうことです」

　と、宗方は、いう。

そういわれてしまうと、十津川は、反論のしようがなくなってしまうのだ。

「もう、いいでしょう？」

宗方が、いった。

「これから、どうするんです？」

と、亀井が、宗方に、きいた。

「今、考えているところです。一週間、上山田温泉で、英気を養うつもりだったんですが、警察に、つきまとわれたんじゃあ、それどころじゃありませんからね」

宗方は、吐き捨てるように、いった。

4

翌日の昼前に、三浦警部から、電話があった。

「上田市内で、宗方が、車をぶつけたという電柱が、わかりました」

「それで、どんな具合でした？」

と、十津川は、きいた。

「地元の話だと、よく、車が、ぶつかったり、こすったりするコンクリートの電柱で、昨日も、二台の車が、車体をぶつけているんです。しかも、その一台が、シルバーメタリックのベンツだったんですよ。だから、コンクリートに、シルバーメタリックの塗料が、附着していても、宗方の車のものかどうか、わからないのです」

「目撃者は、どうですか？」

「まだ、見つかりません」

「宗方は、ライトバンとすれ違ったとき、電柱に、こすったんだと、いっていましたが」

「私にも、同じことをいいましたが、白のライトバンというだけでは、あまりにも、漠然としすぎていますからね」

「そうでしょうね。芸者のぼたんの方は、どうですか？　何かわかりましたか？」

と、十津川は、きいた。

「残念ながら、こちらも、目撃者が、見つかりません。現場は、通りの裏側で、同じような廃屋が並んでいるので、人が近づかないのです。それで、目撃者が、いないのだと思いますが」

「指紋は、どうですか？」

「屋内で、はっきりした指紋は、被害者のぼたんのものだけでした。多分、自力で、ロープを解き、脱出するとき、付いたものだと思います。それから、手袋の痕だと思われるものが、いくつか、見つかりました」

「犯人は、手袋をはめていたということですか？」

「そうなりますね」

と、三浦は、いってから、

「宗方八段ですが、旅館をチェック・アウトしたのを、ご存知ですか？」

「いや。知りません。行先は、わかりますか？」

「草津温泉へ行くといっていました。多分、あとから、芸者のぼたんを呼ぶつもりなんじゃないですかね」

と、三浦は、いった。

（草津温泉か）

と、十津川は、呟《つぶ》やいた。

草津で、また、幼女殺人が起きたら、ますます、彼の容疑が、濃くなるだろう。

「われわれも、草津へ行きますか？」

と、亀井が、十津川に、いった。

「そうだな」

と、十津川が、考え込んだ時、また、部屋の電話が鳴った。

受話器を取ると、今度は、伊知地だった。

「のんびりしてたら困りますね」

と、伊知地は、いきなり、いった。

「どういうことだ？」

十津川が、きくと、伊知地は、

「容疑者は、もう、上山田には、いませんよ」

「草津へ行ったということかね？」

「知っているんなら、なぜ、上山田で、もたもたしているんですか？　事件を解決する気があるんですか？」

と、伊知地は、いう。

「宗方功が、犯人と決ったわけじゃないよ」

と、十津川は、いった。

「彼が、草津でチェック・インしたのは、『笠木《かさぎ》旅館』です。草津温泉の中心にある旅館です」

「わざわざ、教えてくれて、ありがとう」

と、十津川は、いった。

「それだけですか？　警察は、本気で、もっと動いて下さいよ。また、草津で、幼女殺しが起きたら、どうするんですか」

伊知地は、そういって、電話を切ってしまった。

「さて、どうしますか？」

と、亀井が、十津川に、きいた。

「草津には、西本と、日下《くさか》の二人を行かせよう」

と、十津川は、いった。

亀井は、びっくりした顔で、

「われわれは、行かないんですか？」

「私は、もう少し、この上山田に、いたいんだ。ここで、犯人の足取りを、追ってみたいんだよ」

と、十津川は、いった。

「犯人の足取りですか」

「犯人は、真っ昼間に、幼女を誘拐して、殺しているんだ。車を使ってね。その車も、シルバーメタリックのベンツだ。そんなに、沢山走り廻ってる車じゃない。第一、東京に比べて、はるかに車が少いから、誰かが見ている筈だと思うんだよ。それを、見つけたい」

と、十津川は、いった。

十津川は、千曲川周辺の地図を取り出して、二人の前に置いた。

細長く、ゆるく蛇行する千曲川。

戸倉上山田温泉を中心にした地図だから、当然、千曲川の中央に、上山田温泉が描かれ、上方に、更埴市、下方に、上田市がある。

千曲川の上山田温泉の近くに、幼女が、誘拐された地点がある。

そこから見て、千曲川の対岸、更埴市寄りの、川原に置かれた簡易移動トイレの中で、小原ハルミの死体が、発見されている。

誘拐された場所から、対岸に行くには、当然、橋を渡ることになる。

近くにある橋は三本。更埴寄りから、大正橋、万葉橋、こうかい橋である。

一番近いのは、戸倉上山田温泉の入口の傍の万葉橋となる。

犯人は、温泉側の川原で、遊んでいた小原ハルミを、誘拐、車に乗せて、万葉橋を渡り、土手の道路を、更埴市方向に走り、川原におりて、死体を、移動トイレに、放置したのか？

と、すると、殺したのは、車内でだろう。

「川原に下りてから、殺したんだと思いますね。川原には、点々と、葦《あし》が生い茂っているし、雑木《ぞうき》が生えているところもあるし、そのかげに、車を駐《と》めれば、車内で、何をしていても、ちょっと、わからないと、思います」

と、亀井は、いった。

「実際に、走ってみよう」

と、十津川は、いった。

まず、東京に電話をかけ、西本と、日下の二人に、宗方と、伊知地のこと、それに、芸者ぼたんのことを説明してから、草津温泉に行くように指示した。

そのあと、レンタカーで、小原ハルミが姿を消した千曲川の川原に向った。

土手に、車をとめる。

多分、犯人は、車をおりて、川原で遊んでいる小原ハルミに近づき、チョコレートをエサにして、車に誘い込んだのだろう。

「すぐ傍に、万葉橋があります。犯人としては、一刻も早く、誘拐した現場から遠ざかりたいと思います。だから、ここから離れた大正橋や、こうかい橋ではなく、一番近い万葉橋を使って、対岸に渡ったと思います」

亀井は、周囲を見廻しながら、いった。

「同感だね」

と、十津川も、いった。

二人は、レンタカーで、万葉橋を渡り、対岸に向った。

問題は、その先である。

亀井は、ここから、川原に、車ごと下りて行き、生い茂った葦のかげなどに車をとめて、幼女にいたずらし、首を絞めて、殺したのだろうと、いった。

そうかも知れない。

土手の上の道路から、川原を見渡すと、まだ、午後二時という時間なのに、人の影は、全くない。やはり、川風が冷たいのだろう。

川原の一部は、整地されて、小さな野球場《グラウンド》が出来ているのだが、そこにも、人の姿はない。

多分、事件の日の午後も、同じようなものだったろう。

人影が、全くないから、安心して、車で、川原へ下りて行った、ということも考えられるが、逆に、人のいない川原に、シルバーメタリックのベンツが、一台だけとまっていたら、目立つのではないだろうか？

犯人が、そう思ったとしたら、川原でなく、別の場所に行ったのではないのか。

「万葉橋を渡って、真っすぐ行くと、城山《じょうやま》へ行くんだったね？」

十津川は、地図を見ながら、いった。

「そうですが、もう、桜は、散ってしまっていますよ」

「だから、行ってみたいんだ」

と、十津川は、いった。

ここへ来て、すぐ、レンタカーを、走らせたが、その時も、もう桜は、盛りを過ぎてしまっていた。

今日なら、なおさらだろう。

城山入口の掲示板を見やりながら、車を走らせる。道路は、急な登りになる。桜の並木の下を登って行くのだが、桜は、すでに、完全な葉桜になってしまっている。

車も一台も見えない。ウィークデイで、桜も、散ってしまっていては、観光客も、地元の住民も、城山の上まで登る気にはならないのだろう。

山の上に、城山史跡公園がある。ここに来ると、千曲川や、戸倉上山田の温泉街を、見下すことが出来るのだが、車の外に出ると、風が、やたらに、冷たい。

十津川は、史跡公園の管理事務所に行き、そこにいた係の男に、事件の日四月二十三日の午後のことを聞いてみた。

「多分、午後四時前後だと思うんですが、そこの駐車場に、シルバーメタリックのベンツが、とまっていませんでしたか？」

十津川は、ベンツC280の写真を見せた。

六十歳くらいの管理人は、写真を見るなり、

「ああ、この車なら、見ましたよ」

と、いった。十津川は、あまりに、あっさり肯かれて、かえって、不安になって、

「この車に間違いありませんか？」

「ええ。何しろ、あの日は、寒くて、ほとんど、見物客がいなかったんですよ。特に、午後四時頃になるとね。そんな時、一台だけ、隅っこの方に、とまっていたから、覚えているんですよ。それに、誰もおりて来ないから余計にね。きっと、若いカップルが、車の中で、ご

ちゃごちゃやってたんじゃあないのかな」

と、管理人は、笑った。

「車の中に、誰かいましたか？」

と、きくと、相手は、

「それが、ぜんぜん見えないんだ。窓が黒くなってってね」

「ブルーのフィルムでも貼っていたのかな？」

「そうだと思いますよ」

「それから、その車は、どうしたんですか？」

と、十津川は、きいた。

「十二、三分、とまっていたかな。急に、発進して、いなくなったけど、駐車場を出たところで、電柱に、こすっていましたね。何を、あわててたのかな」

と、管理人は、いった。

「どこの電柱ですか？」

と、十津川は、聞く。管理人は、親切に、その電柱のところまで、二人を案内してくれた。

なるほど、コンクリートの電柱の一ヵ所が、こすられて、白くなっている。

「車は、なぜ、あわてて、発進して行ったんですかね？」

と、十津川は、きいてみた。

「わかりませんねえ。まさか、タクシーが、あがって来たからじゃないとは思いますがね」

と、管理人は、いった。

「タクシーが、あがって来た？」

思わず、十津川の声が、大きくなった。

管理人の方が、びっくりした顔で、

「ええ。タクシーがね」

「どこのタクシーか覚えていませんか？」

「この辺の観光タクシーだったと思いますがねえ。午後四時過ぎでしょう、それに、桜は散っちゃってるし、寒いし、こんな時に、タクシーが、あがって来たんで、私も、びっくりしたんですよ。タクシーで来た客も、やっぱり、車からおりたものの、寒かったとみえて、すぐ、帰って行きましたよ」

と、管理人は、いう。

「そのタクシーは、問題のベンツと、坂道で、すれ違ったわけですね？」

「ええ。その時、電柱に、ぶつけたんじゃないかね」

「どこのタクシーか、思い出せませんか？」

「どこだったかなあ？」

と、管理人は、宙に眼をやって、考えていたが、

「上田タクシーだったような気がします」

と、いった。

十津川と、亀井は、観光案内を見て、上田タクシーの住所と、電話番号を調べ、直接、訪ねてみることにした。

上田駅近くにある営業所で四、五台の車を持つ会社だった。

十津川たちは、そこで、営業所長に会い、四月二十三日の午後四時頃、城山に行った運転手に会いたいといった。

営業所長は、井上《いのうえ》という中年の運転手を、連れて来てくれた。

十津川が、城山でのことを聞くと、その運転手は、

「ああ、それなら、覚えています。東京のお客が、どうしても、上山田温泉一帯の写真を撮《と》りたいというので、城山の頂上に、案内したんです。その時、上からおりて来た車と、すれ違ったんです」

と、井上は、いった。

「それが、シルバーメタリックのベンツだったんですね？」

「そうです。シルバーメタリックのベンツでした」

「その時、その車が、左のフェンダーを、電柱にこすったのは、覚えていますか？」

と、亀井が、きいた。

「すれ違った時、向うが、電柱にこすったらしいことはわかりましたが、すれ違っただけだから、どこをこすったのかは、わかりません」

と、井上運転手は、律義に、いった。

「相手の運転手の顔を見ましたか？」

と、十津川は、きいた。

「サングラスをかけた男の人だというのは、覚えていますが、今いったように、すれ違ったときですからね。はっきりとは、覚えてないんです」

と、井上運転手は、いった。

亀井が、念のために、宗方功の顔写真を見せたが、井上運転手は、

「わかりません。何しろ、一瞬のことでしたから」

と、正直に、いった。

ただ、時間が、午後四時頃、車は、シルバーメタリックのベンツ、ということだけは、この上田タクシーで、確認できた。その車が、左のフェンダーを、電柱にぶつけたことは、城山で、確認された。

このことは、更埴警察署に行き、三浦警部に、話した。

三浦も、二人に向って、

「実は、われわれの方には、事件当日、城山へ行く道の信号のところで、シルバーメタリックのベンツを見たという、目撃証言が、届いているんです」

と、いった。

「何時頃ですか？」

と、十津川は、きいた。

「午後四時少し前です。ただ、リア・ウインドーに青いフィルムが貼られて、車内が、よく見えなかったというので、犯人の車とは、違うのではないかと、考えていたのです」

と、三浦は、いう。

「しかし、フィルムは、いつでも貼れるでしょう。犯行の時だけ、車内が見えないように、貼っていたのかも知れません」

と、十津川は、いった。

三浦は、難しい顔になって、

「これは、どう考えたらいいんですかね。宗方功は、あの日、刀屋で、そばを食べたあと、上田市内で、自分の車を、電柱にこすったと、証言しています。あれは、嘘だったということですかね？」

「宗方が、犯人なら、嘘をついていたことになりますね」

と、十津川は、いった。

「それは、本当のことを、いっているかも知れないということですか？」

「そうです」

と、十津川は、いった。

「しかし、そうなると、あの日、同じシルバーメタリックのベンツが、千曲川の周囲を、二台、走り廻っていたことになって来ますよ」

三浦は、信じられないという顔で、いった。

「確かに、奇妙ですが、宗方が犯人でなければ、そういうことになるんです」

と、十津川は、いった。

「しかし、十津川さん。同じ日に、二台のベンツが、同じように、左フェンダーを、電柱にこすって、傷つくという偶然が、あるでしょうか？　あまりにも、偶然すぎるんじゃありませんか」

三浦は、小さく首を振って見せた。

「すると、三浦さんは、どう思われるんですか？」

と、十津川は、きいた。

「そうですね。考えたくないことですが、宗方八段が、幼女殺しの容疑者ということになってくると思います。つまり、彼は、自分の車のフェンダーが傷ついたことで、偽証をしたということです」

と、三浦は、いった。

彼は、そのあと、壁の地図を、指さしながら、

「四月二十三日。宗方は、車に乗り、上田市内で、昼食に、そばを食べた。これは、刀屋の店員が、証言しているので、間違いないと思います。そのあと、午後四時近くまで、どこにいたのかわかりませんが、宗方は、その時刻に、上山田温泉近くの川原で遊んでいた小原ハルミちゃんを、チョコレートをエサにして、車に連れ込み、万葉橋を渡って、城山に向いました。その途中で、目撃されたわけです。この時には、車内が見えないように、青いフィルムを、リア・ウインドーに、貼りつけました。彼は、小原ハルミちゃんを乗せたまま、桜が散って、人影のない城山頂上に行き、そこで小原ハルミちゃんを絞殺したわけです。そして、城山からおりる途中で、タクシーとすれ違い、そのとき、左フェンダーを、電柱に、こすってしまいました。そのあと、暗くなるのを待って、ここ――」

と、三浦は、千曲川の川原を、指さし、

「――にある簡易移動トイレに、放置して、旅館に、帰ったわけです。その後、車の左フェンダーが、傷ついている理由を聞かれて、上田市内で、電柱に、こすったと、嘘をついたということだと思います」

と、いった。

三浦は、もう少し、宗方功が、犯人だという証拠を集めてから、逮捕状を請求するつもりだと、いった。

5

十津川と、亀井は、更埴警察署を出て、自分たちの泊っている旅館に戻った。

十津川は、今日は、ひどく、疲れたような気がした。肉体的というよりも、精神的にである。

夕食のあと、十津川は、亀井と、温泉に入った。

亀井は、並んで、温泉につかりながら、

「今日は、お疲れの様子ですね」

と、いった。

十津川は、湯煙りで、ぼんやりとかすむ浴室の天井に眼をやって、

「すっきりしないせいだと思うね」

と、いった。

今日は、泊り客が少いのか、広い浴室に、他の客はいないし、静かである。

「警部は、宗方功は、シロだと思われるんですか？」

と、亀井も、頭を、湯船の縁にのせ、天井を見上げて、いう。

「シロだと思えるんなら、いいんだが、シロ、クロ、どちらとも、決めかねているんだ」

と、十津川は、いった。

「県警の三浦警部は、クロと、断定しているようですね」

「それでも、もう少し証拠を集めてからといっているのは、確信とまでは、いっていないからだろうと思うよ」

「何しろ、宗方八段といえば、郷土の誇りでしょうからね」

と、亀井は、いった。

「私だって、彼を、犯人とは、思いたくないよ」

と、十津川は、いった。

「宗方が、シロだとすると、いろいろと、不自然なことが、でてきますね」

亀井が、いった。

「そうなんだ。それで、頭が痛いんだよ」

十津川は、いい、音を立てて、湯船から出た。

部屋に戻ると、冷蔵庫から、缶ビールを取り出し、それを飲みながら、話の続きを始めた。

「もし、宗方が犯人でないとすると、犯人は、別にいるわけですが、東京の未遂事件で、被害者の幼女は、犯人は、宗方に似た顔の男だと、いっています。彼女の証言で作られた犯人のモンタージュは、宗方によく似ていますから」

「その通りだ」

「それに、その犯人は、宗方と同じ、シルバーメタリックのベンツに、乗っているわけです」

「そうだ」

「それだけじゃありません。彼は、宗方が、名人戦のために、この戸倉上山田温泉に来ると、自分も、ここにやって来て、また、幼女殺しをやったのです」

と、亀井は、いった。

「確かに、しつこい男だよ」

「もう一つ、車の左フェンダーの傷があります。宗方がシロだとすると、彼によく似た犯人がいて、シルバーメタリックのベンツも、二台あることになります。その二台が、同じ日に、左フェンダーに傷をつけたというのは、あまりにも、出来すぎていて、偶然としては、おかしい気がするんですが」

と、亀井はいった。

十津川は、煙草に火をつけてから、

「それは、もちろん、偶然の一致じゃないんだと思うよ」

と、いった。

「どういうことですか？」

「犯人は、別にいるとする。あの日、宗方は、昼少し前に、上田市の刀屋で、そばを食べ、そのあと、市内の電柱に、左フェンダーを、こすってしまった。この話が事実なら、時刻は、午後一時頃の筈だ。真犯人は、それを知って、自分のベンツにも、左フェンダーを電柱にこすりつけて、同じ傷をつくったんだと思うよ。城山からの帰りにね」

と、十津川は、いった。

「なぜ、そんなことをしたんでしょうか？」

「もちろん、宗方を幼女殺しの犯人に、仕立て上げるためさ」

と、十津川は、いった。

「それが、事実なら、すごい執念ですね」

「ああ、そうだ」

「しかし、この戸倉上山田温泉は、小さな街です。シルバーメタリックのベンツが二台いて、同じような顔付きの男が、二人、泊っていたら、目立つんじゃありませんかね？」

と、亀井が、いった。

「真犯人の方は、別に、ここに、泊っていなくてもいいんだ」

と、十津川は、いい、今日、聞き込みに使った、観光地図を持って来て、

「この戸倉上山田温泉の地図に、『こんなに近いぞ。あっという間に、こんなに近くなりました』と、書いてある。これを見ると、戸倉上山田温泉から、更埴インターチェンジまで、車で、十五分なんだ。更埴インターチェンジから、長野自動車道を使えば、長野まで六・九キロしかないし、上信越自動車道を使うと、小諸《こもろ》でも三十七キロぐらいだ。つまり、戸倉上山田温泉に、泊らなくてもいいんだよ」

と、いった。

「それにしても、真犯人が別にいるとすると、その男は、宗方につきまとっているわけで、そこに、どんな、怨念《おんねん》があるんでしょうね？　更に、伊知地との関係も、気になります」

と、亀井は、いった。

第四章　過去を辿《たど》る

1

東京では、残った三田村《みたむら》刑事や、北条早苗《ほうじょうさなえ》刑事たちが、事件を捜査していた。

その一つは、伊知地という記者の経歴である。

伊知地記者と、宗方功の、過去の接点だった。

十津川から、過去に、二人の接点は、必ずある筈だといわれていた。

今日になって、十津川から、新しい指示が、加えられた。

宗方功と同じ、シルバーメタリックのベンツを持つ男のことである。

「この男は、存在しない可能性もある。目撃者が、何人かいるんだが、二人の人間を見ているのではなく、同じ人物、つまり宗方功を見ているのかも知れないからね。それなら、問題はないんだ。だが、別人を目撃しているのなら、調べる必要がある。その男は、顔が、宗方に似ていて、同じ車を持ち、なぜか、宗方に、つきまとっている。その点を考えながら、捜査を進めてくれ」

と、十津川は、電話で、いった。

「車のナンバーは、どうなんですか？　違うナンバーなら、二台の車が存在するのだとわかる筈ですが」

と、三田村が、きくと、十津川は、

「目撃者は、まさか、車の持主が、幼女殺しの犯人とは思っていないから、車のナンバーまで、気を付けて見ていないんだよ」

と、いった。

とにかく、これだけの情報で、調べてくれと、十津川は、いった。

三田村たちは、二班に分れ、それぞれ、伊知地記者と、宗方功と似た男を、追うことになった。

三田村と、北条早苗は、伊知地記者を追うことになった。

今までに調べた限りでは、彼と、宗方功との接点は、名人戦の棋士と、取材記者という以上のことは、わかっていない。

二人は、生れた場所も違うし、伊知地は、大学を卒業しているが、宗方は高校も、中退である。その代り、彼は、プロ棋士を養成する奨励会を、優秀な成績で出て、現在八段で、名人戦の挑戦者である。

現在、宗方は、柴田名人と、名人戦を戦っている。

伊知地の方は、週刊日本の記者として、この名人戦の取材をしている。行き過ぎた取材に見えるが、これだけでは、二人の間に、過去、何があったかは、わからない。

三田村と、早苗は、伊知地が、大手の出版社を辞めたいきさつに、注目した。伊知地は、この出版社の主力雑誌「週刊オピニオン」の記者だった。この週刊誌は、その出版社のというより、日本を代表する週刊誌といっていい。

そこの第一線記者である。彼自身も、誇りを持ち、自信に溢れていたに違いない。それなのに、三年前、突然、伊知地は、週刊オピニオンの記者を辞め、退社してしまう。

出版社は、この時の事情について、話そうとしないのである。

「調べてみたいね」

と、三田村は、早苗にいった。

「この頃、宗方功は、どうしていたのかしら？　それも知りたいわ」

と、早苗は、いった。

伊知地が、週刊オピニオンを辞めた、というか、馘《くび》になったというか、これは、正確には、三年前の一月五日である。

この頃、宗方は、どうしていただろう。

二人は、まず、それを調べることにした。

日本将棋連盟では、棋士名鑑を作っているが、宗方八段は、次の名人を狙う逸材ということで、最近、扱いが大きくなり、彼の年譜が、詳しくのるようになっている。

それによると、三年前、宗方は、すでに、八段になっている。

A級にも入り、名人戦の挑戦者になることを、期待されていた頃だった。

ところが、宗方は、A級から、脱落し、B級1組からも、落ちてしまう。

このスランプを、年譜では、「この年、最愛の母、文子が死亡し、その悲しみから、勝てなくなった。宗方八段が、もっとも傷つき、どん底で、苦しんでいた頃である。ある意味では、この時の苦しみがあるからこそ、今日があるに違いない」と、一つの美談としていた。

三田村と早苗は、日本将棋連盟に行き、この頃の宗方功について、聞いてみた。

答えてくれたのは、連盟の広報係を自任している井上八段である。六十歳は、過ぎているだろうが、顔は、つやつやしている。

「宗方君にとって、文字通り、どん底の時期だったでしょうね」

「最愛の母親が亡くなったせいだと、名鑑には書いてありますが」

「そうですね。文字通り、母親の手一つで、育てられ、いつでも、宗方君の味方でしたからね」

「彼が、立ち直った理由は、何でしょう？」

と、早苗が、きいた。

「そうですねえ。宗方君自身の努力もあるし、お父さんが亡くなって、自分がしっかりしなければと思ったこともあるでしょう。それに、大きな力として、広川《ひろかわ》先生の援助もあったと思います」

と、井上は、いった。

「広川先生というのは？」

「去年亡くなられた法務大臣の広川先生です」

「ああ、広川代議士ですか。宗方八段とは、どういう関係なんですか？」

と、三田村が、きいた。

「広川先生は、将棋がお好きでしたね。宗方君が、お宅に伺って、広川先生に、お教えしたことがあるんです。広川先生は、なぜか、宗方君が、大変、気に入られて、陰になり、日なたになり、宗方君を、力づけて下さったんです」

「棋士名鑑には、のっていませんね？」

「それは、広川先生という方が、ご自分が目立つことが、お嫌いだったので、今まで、表に出て来なかったんですよ」

と、井上は、いった。

二人は、捜査本部に戻ると、調べたことが、本当に、正しいかどうか、検証することにした。

伊知地が、週刊オピニオンを辞めたのが、三年前の一月五日であることは、間違いない。

あとは、宗方の母親が死んだ日である。

二人は、宗方母子が住んでいた世田谷の区役所に行き、住民票を調べてみた。

それによると、母文子が病死したのは、三年前の三月十八日であることが、わかった。六十八歳である。

二人は、どんな死に方か、調べることにした。長く病床にあったか、突然の死かでは、宗方に与える影響力が、違うからである。

区役所で聞き、近くの病院を廻り、葬儀屋に当り、やっと、宗方文子の死亡診断書を書いた医者に、辿りついた。

鈴木《すずき》という医者は、刑事が訪ねて来たことに驚いた。

「宗方文子さんの死亡に、別に、不審な点はありませんでしたよ」

と、いった。

三田村は、笑って、

「それは、よくわかっています。われわれが、知りたいのは、彼女が、ずっと寝ていて、亡くなったのか、突然、亡くなったのかということなんです」

「あの人は、心臓が悪かったんですが、死ぬ直前まで、元気に、家事なんかをやっていましたよ。倒れたのが、寒い日で、二日で亡くなりました。だから、たいして、苦しまずに、死んだんじゃありませんかね」

と、鈴木は、いった。

もう一つは、宗方が、A級を陥落した時期である。

三年前、宗方のA級陥落が決ったのは、一月三十一日であることがわかった。

「少しばかり、おかしくなって来たね」

と、三田村は、いった。

早苗が、三年前の出来事を、順番に黒板に、書き並べた。

一月五日　伊知地が、週刊オピニオンを辞める

一月三十一日　宗方八段が、A級陥落

三月十八日　宗方の母病死

「宗方が、母が亡くなったショックで、A級を陥落したというのは、おかしくなってくるね」

と、三田村が、いった。

「そうね。母親が亡くなったのは、宗方が、A級を落ちてからだし、長く、病床にいたわけ

でもないんだから」

「しかも、この時、宗方は、A級で、全敗しているんだ。A級は、十名で構成されているから、0勝9敗なんだ」

「何か、母親のこと以外に、原因があったのかも知れないわね。伸び盛りの棋士が、全敗なんて、よほどのことが、あったに違いないわ」

と、早苗は、いった。

「それに、伊知地記者が、何か絡んでいるのかな?」

「どうやって、調べる?」

早苗は、三田村に、いった。

「伊知地が、なぜ、週刊オピニオンを、辞めたのかについて、出版社側は、答えてくれそうもないからな」

「そうね。西本刑事と、日下刑事が、いくら聞いても、ノーコメントだったそうだから」

「週刊オピニオンにとっても、あまり名誉でない事件があったのかも知れないな」

と、三田村は、いった。

「私たちが行っても、きっと、同じ返事しか聞けないでしょうね」

「そうなると、尚更、知りたくなるんだが――」

と、三田村は、考え込んだ。

「伊知地本人に聞いたら、どうかしら？」

と、早苗が、いった。

「駄目だろう。彼が、喋っていれば、週刊オピニオンだって、ノーコメントとはいえない筈だからね」

「じゃあ、どうしたらいいの？」

と、早苗が、いう。

「君は、どうしたらいいと思うんだ？」

逆に、三田村が、きき返した。

「そうね。週刊オピニオンを辞めた人に聞いたらどうかしら？　三年前のことを、知っている人がいるかも知れないわ」

と、早苗は、いった。

「そういえば、週刊オピニオンを辞めて、ライバル誌のデスクになった人がいたねえ。ちょっとしたニュースになったじゃないか」

と、三田村が、いった。

「私も、覚えてる。確か、半年くらい前だったわ」

二人は、半年前の新聞縮刷版を、持ち出して、調べてみた。

最初は、見つからなくて、二人は、二度、三度と、ページを繰ってみた。

去年十月の二十五日の夕刊に、のっていた。

〈一つの生き方〉

と題された囲み記事である。

〈先週、週刊オピニオンのデスク丹羽広己《にわひろき》さん（四十五歳）が、辞めた。大学を卒業してすぐに、週刊オピニオンの記者になったのだから、二十二年間、働いたことになる。その丹羽さんが、今回、驚いたことに、ライバル誌である週刊トピックスのデスクになった。両誌は、長年ライバルとして、日本の世論をリードして来ただけに、この転身は、驚きの眼で、見られている。だが、丹羽さんは、これも一つの生き方と、笑っている〉

丹羽の顔写真も、のっている。

二人は、この丹羽広己に会ってみることにした。

大手町にある週刊トピックスの本社を訪ね、デスクの丹羽に会った。

五分刈の頭で、スポーツ選手みたいな感じの男だった。

「最近、警察の悪口は、書いていませんがねえ」

と、丹羽は、笑う。

早苗は、こういう男を、何人か知っている。頭が良くて、人と話をするとき、先廻りしたようなことをいって、ニヤッとする男だ。

自分では、気のきいたことをいったつもりだろうが、刑事の早苗から見ると、たいてい、間が抜けているのだ。

「三年前のことを、お聞きしたくて、伺ったんですわ」

と、早苗は、一応、ニコリとして、いった。

「三年前？　それじゃあ、僕が、まだ、週刊オピニオンにいた頃だ。その頃の旧悪が露顕《ろけん》したかな？」

と、丹羽は、また、笑う。

（またなの？）

と、早苗は、内心、苦笑しながら、

「伊知地さんのことなんです」

「伊知地？」

「三年前、週刊オピニオンに、伊知地という記者がいた筈だと思いますけど？」

「確かに、いましたが、彼のことを知りたいんなら、週刊オピニオンに行かれたら、どうです？」

「でも、彼のことは、ご存知でしょう？」

と、三田村が、きく。

「ええ。知ってはいますが、彼の何を知りたいんですか？」

「三年前、彼が、週刊オピニオンを辞めた理由ですわ」

と、早苗が、いった。

「ああ」

と、丹羽は肯いて、

「あの一件ですか」

「本人も話さないし、週刊オピニオンも、ノーコメントでね。だから、あなたなら、話してくれるんじゃないかと思って、伺ったんですよ」

と、三田村は、いった。

丹羽は、「うーん」と、唸《うな》ってから、

「僕も、ノーコメントにしたいですがねえ」

「そんなに、面倒な理由があったんですか？」

と、早苗は、きいた。

「正直にいうと、あれは、伊知地君と、会社とのことで、僕は、詳しいことは、知らないんだ」

「詳しいことは、知らなくても、何があったかはご存知なんでしょう？」

と、早苗が、食い下った。

「しかし、警察は、何のために、三年前のことを調べているんですか？」

丹羽は、逆に、質問してきた。

「まだ、事件になるかどうかわからないので、何も、申しあげられません」

と、三田村は、いった。

丹羽は、小さく肩をすくめて、

「それでは、僕が答える必要もないんじゃないかな？　これが殺人事件の捜査でもあれば、協力するのに、やぶさかじゃありませんが、まだ、事件かどうかもわからないというのではねえ」

「しかし、一人の記者が辞めただけのことでしょう？　しかも、あなたは、もう、週刊オピニオンの人間じゃない。それにも拘《かか》わらず、ノーコメントだと、あなたも、週刊オピニオンもいう。刑事の私としては、何か、その裏に、犯罪の匂いがするような気がしますわ」

と、早苗は、いった。

丹羽は、びっくりした顔になって、

「犯罪の匂い？」

「そうですわ。私たちは、その疑いを持って、調べる気になってきました。正式な捜査になったら、あなたも、当時は、週刊オピニオンのデスクだったわけだから、どうしても、事情聴取を行うことになりますわ」

早苗は、脅すように、いった。

それまで、ニヤニヤ笑っていた丹羽が、急にあわてて、

「困るな。犯罪なんか、無いんですよ」

「しかし、ノーコメントなんでしょう？　私たちは、どうしても、犯罪の匂いを嗅《か》いでしまいますわ」

と、早苗は、いった。

それに合せるように、三田村が、

「私たちは、今、ある殺人事件の捜査をしています。今いった三年前のことが、関係があるのではないかという、軽い疑いを持って、伺ったのですが、あなたの態度で、関係があると、確信しました。お話しして頂けないのなら、これから、上司に相談して、令状を請求し、あなたに、捜査本部に来て貰うことにする」

と、いった。

「ちょっと、待って下さいよ」

と、丹羽は、いい、小さく溜息をついた。

「構いませんわ。ノーコメントで。犯罪の匂いがあると、上司に報告しますから」

と、早苗は、いった。

「犯罪なんかじゃありませんよ」

「それなら、話して下さい」

と、三田村は、いった。

丹羽は、咳払《せきばら》いを一つしてから、

「あの頃、週刊オピニオンに、『次代を築く俊英たち』という記事で各界のホープを、毎週一人ずつ、紹介していた。政界、財界、官界、スポーツ、芸能とかね。伊知地君が、日本の将棋界を担当したんです。将棋界からは、A級に入ったばかりで、未来の名人と期待されていた宗方功を取りあげることになりました」

「それを決めたのは、誰なんです?」

「連盟が、推薦して来たんですよ。それで、彼のことを、伊知地君が、調べることになったわけです」

「それ以前に、伊知地さんは、宗方功を、知っていたんですかね?」

と、三田村が、きいた。

「それはわからない。彼、その点は、何もいいませんでしたからね」

「それから、何があったんです?」

と、早苗は、きいた。

「彼は、デスクの僕に、こういいました。宗方功について調べたら、大変なことが、わかった。彼のことは、ただの紹介記事ではなく、連載物で書きたい。これは、大変な、ショッキングな物語になるというんです」

と、丹羽は、いった。

「彼は、原稿を書いて、持って来たんですか？」

と、三田村が、きいた。

「ええ。ただ、最初に、彼が見せたのは、五十枚のあらすじみたいなものでしたね。それを読んで、驚きましたよ。その頃、幼女が、続けて襲われる事件がありましてね」

「覚えていますよ。最近の連続幼女殺人に、よく似た事件だった。殺しではなく、傷害でしたがね。結局、犯人が捕らなかった。捕らないままに、事件は、終息してしまったんでした」

と、三田村は、いった。

「その事件の犯人が、宗方功だというんです。いや、犯人とは、断定していないが、彼が犯人であることを、さまざまな角度から、証明しようとしていましたよ。伊知地は、絶対に、自信があるといい、このまま、調査を続けさせて欲しい、これを、連載記事にしてくれというんです」

「それで、どうしたんです？」

と、早苗は、きいた。

「確証もなしに、宗方功を犯人扱いにした記事を書けば、名誉毀損《めいよきそん》で訴えられるし、訴訟になれば、勝ち目はないと、僕は、彼にいいましたよ」

「そうしたら、伊知地さんは？」

「仮名でもいいと、伊知地は、いいましたよ。それでも、宗方八段のことだと、わかってしまうじゃないかと、社の上層部は、いいましたよ。そのうちに、どこからこの話が漏れたのか、上原《うえはら》という弁護士が、突然、訪ねて来て、週刊オピニオンの出版社主に、抗議するという事態になったんです」

「なぜ、その弁護士が？」

と、三田村が、きいた。

「その頃、宗方八段には、時の法務大臣が、後盾《うしろだて》になっていたんです」

「それは、知っています」

「上原弁護士は、広川大臣の指示で、抗議に来たんです」

「しかし、伊知地さんは、原稿を書いても、まだ、活字にはなってなかったわけでしょう？噂《うわさ》だけで、弁護士が、抗議に来るものかしら？」

と、早苗が、いった。

「それなんですがね。実は、宗方八段のところに、匿名《とくめい》で、お前が、幼女を襲った犯人だ、早く自首しろといった手紙が、来ていたというんです。それが、あまりにも、執拗《しつよう》なので、宗方が、A級戦で、勝てなくなってしまった。そんな時に、原稿の噂が、耳に入ったので、匿名の手紙の主は、てっきり、伊知地君だと、思ったんでしょうね」

「あなたは、そのことを、伊知地さんに、聞きました？」

「彼は、否定しましたよ。しかし、僕は、今でも、疑っています」

「それから、どうなりましたか？」

と、三田村が、きいた。

「伊知地君は、どうしても、仮名でいいから書かせて欲しい。書くことで、この犯罪は、食い止められると、いい張りましてね」

と、丹羽は、いう。

「伊知地さんは、なぜ、そんなに、自信があったんでしょうか？　どこから、宗方八段が犯人だという証拠を集めたんでしょう？」

と、早苗は、きいた。

「わかりません。彼は、話しませんでしたから」

「それで、最後はどうなったんですか？」

と、三田村が、きいた。

「社内にいろいろな意見がありました。仮名なら、構わないじゃないか。とにかく、今、一番世間を騒がせている事件なんだから、書くことに意味がある。伊知地記者には、もう少し、証拠を集めさせてから、結論を下すことにする。そういう決定になりかけたんですよ。

ところが、社主が、怖がってしまいましてね。この掲載そのものも中止になって、伊知地君は、憤然として、退職してしまったんです」

と、丹羽は、いう。

「なぜ、このことが、週刊オピニオンでは、タブー視されることになっているんでしょうか？」

と、早苗が、きいた。

丹羽は、苦笑して、

「週刊オピニオンは、反権力のリーダーをもって、任じているわけですよ。それなのに、法務大臣の介入で、社主が、びびってしまい、結果的に、伊知地君を馘にしてしまった。イメージが、悪くなるというので、この件については、箝口令《かんこうれい》が、布《し》かれたわけですよ」

「伊知地さんは、なぜ、犯人が宗方だということに、自信を持っていたんですかね？」

と、三田村が、きいた。

「ただ、自信があるとだけいっていましたがね。とにかく、このあと、連続幼女傷害事件は、終息してしまったんですよ」

「なるほどね」

と、三田村は、肯いた。

「その後、伊知地さんに、会われたことは？」

と、早苗が、きいた。

「会っていません」

と、丹羽は、いった。

2

田中《たなか》と、片山《かたやま》の二人の刑事が、凸凹《でこぼこ》コンビといわれるのは、外見のせいである。二人とも、同じ大学で、ラグビーをやっていたが、その頃から、今と同じ綽名《あだな》で、呼ばれていた。田中は、チーム一の巨漢で、百九十センチ、百キロを越えるFWだった。片山の方は百六十センチの小兵で、俊敏なスタンド・オフで、鳴らした。

背広姿になった今も、二人が並んで歩くと、何となく、微笑《ほほえ》ましい。

二人は、十津川の指示を受けて、宗方功に似た男がいるのか、いないのか、いるとすれば、どんな人間なのかを、調べることになった。

ばくぜんとした話だった。

いれば、捜査して行けば、いつか、その人物に辿りつくだろうが、いなければ、永久に、解決しない問題に、振り廻されることになる。

まず、プロ棋士たちに会って、彼等に、

「最近、宗方八段によく似た男に、会ったことはありませんか？」

と、聞いて廻った。

「それは、彼の周囲にということですか？」

棋士の一人が、きく。

「多分、そうだと思います」

と、田中は、いった。

「棋士仲間で、宗方八段に、顔の似たのがいたかねえ？」

と、佐川《さがわ》という七段が、同僚の顔を見廻した。

「原《はら》五段というのが、似てるって話だが」

と、誰かが、いった。

今年になって、ぐいぐいと、力をつけてきた二十五歳の棋士だという。

田中と、片山は、その原五段に会ってみた。確かに、顔立ちは似ているが、二人の雰囲気はかなり違っていた。第一、十一歳も年齢が違うから、二人を間違えるということは、なさそうだった。

「宗方八段のファンの中に、いませんかね？　彼が、対局するときに、見に来たりするファンですが」

と、片山が、きいた。

「記憶にないが、今、宗方八段は、柴田名人と、名人戦の最中なんです。第一局から、連盟で、記録ビデオを撮っています。観戦に集ったファンも、カメラにおさめているので、それを、お見せしましょう」

と、連盟の理事が、いった。

二人の刑事は、将棋会館で、何回も、そのビデオを、見せて貰った。

だが、画面の中に、宗方八段に似た顔は、発見できなかった。

二人は、夜になって、電話で、十津川に、報告した。今日一日調べた限りでは宗方功の周辺に、よく似た人物は、見つからないと、いった。

「宗方の周辺に、絶対にいないとなれば、幼女殺人について、彼が犯人だという可能性が、大きくなってくる。殺人事件だからね。いないらしいでは困るんだよ。絶対に、いないという確証が、必要なんだ。絶対だよ」

と、電話で、十津川は、いった。

「わかりました。もう一度、調べ直してみます」

と、二人の刑事は、いった。

翌日、田中と片山のコンビは、何処を調べてよいかわからず、都内の将棋クラブを、廻って歩いた。

どこにも、三丁目の柴田名人とか、××クラブの宗方八段という将棋好きがいる。田中と片山は、その人たちに、会ってみた。

だが、一日中、廻っても、本当に、柴田名人や、宗方八段に似ている人はいなかった。

三日目、二人は、国立国会図書館に出かけ、将棋に関した本と、雑誌を、読むことにした。

別に、これといった成算があったわけではなかった。他に、探すところが、なかったのである。

まず、本を読み、そのあと、雑誌に取りかかった。

将棋の専門誌が、何誌か出ている。

二人は、宗方が、奨励会に入った頃からのバックナンバーを、借り受けて、眼を通していった。

二十年前からだから、一誌だけでも、二百四十冊である。

二誌で、四百八十冊、三誌だと、七百二十冊になる。

その一冊ずつ、というより、一ページずつ、二人は眼を通していった。

一日では、全部、眼を通すことが出来ず、翌日も、二人は、国会図書館に、通った。

三日目の昼すぎになって、二人は、一枚の写真に、行き当った。

「将棋日本」の十四年前の四月号だった。

「二人は、好敵手」というグラビアページだった。

この年、四段に昇段した宗方功が、このグラビアページに、のっているのだ。

ここで、好敵手として、紹介されているのは、同じく四段に昇段した小笠原真二《おがさわらしんじ》という棋士である。

キャプションが、

〈私たちは、双子！〉

だった。

その言葉どおり、グラビアに出ている二人の顔は、よく似ている。

〈今回、一緒に、四段に昇段し、一人前のプロ棋士になった二人は、この写真のように、顔がよく似ているだけでなく、一七三センチの身長も、七〇キロの体重も、同じ、血液型も、同じB型、わずかに、小笠原四段が、一ヵ月先に生れているので、二人の間では、兄貴風を、吹かしている〉

これが、記事だった。

田中と、片山の二人は、昼食をすませてから、もう一度、日本将棋連盟に廻り、小笠原真二という棋士について、聞いてみた。

井上八段は、眉を寄せて、

「彼のことは、よくわかりません」

と、いった。

「わからないというのは、どういうことですか？」

と、田中は、きいた。

「もう、棋士であることをやめた人ですからね。どこで、何をしているか、わからないのですよ」

と、井上は、いった。

「なぜ、プロ棋士であることをやめたんですか？」

と、片山が、きいた。

「結局、この世界に向いていなかったということになるんでしょうね。やめるのは、自由ですから」

「いつ頃、やめたんですか？」

と、田中が、きいた。

「いつ頃でしたかね？　自然に、顔を見せなくなったし、連絡しようとしても、居所がわからなくなっていたので、いつと、はっきりわからないのですよ」

「何か問題を起こして、やめたということではないんですか？」

と、片山が、きいた。

「それは、ありませんね。多分、行き詰って、やめたんじゃありませんか？　どう努力しても、勝てなくなって、自殺した棋士もいますからねえ」

と、井上は、いった。

いくら聞いても、将棋連盟は、小笠原真二について、話してくれない。なぜやめたか、今、何処で、何をしているか、田中たちが知りたいことは、教えないのだ。

本当に知らないのか、理由があって、話そうとしないのか、判らなかった。

こうなると、自分たちで、調べなければならない。

田中たちは、国会図書館に戻り、また、「将棋日本」のバックナンバーから、小笠原真二の住所を調べた。

もちろん、十四年前の住所である。

小笠原が、四段になったとき、彼は、中野のマンションの2DKの部屋にいた。

二人は、そのマンションを訪ねた。

小笠原は、もう、そこには、住んでいなくて、古くなった建物は、改造中だった。

仕方なく、二人は、近くの商店街に行き、古い食堂や、喫茶店を聞いて廻った。ひょっとして、小笠原が、食事に来たり、コーヒーを飲みに来たことがないかと、聞くためである。

何しろ、十四年前のことだし、タレントではないから、店の人が覚えていることは、期待できなかった。

その中で、林田《はやしだ》という将棋好きの喫茶店主が、小笠原のことを、覚えていてくれた。

「よく、彼に、将棋を教えて貰ったよ」

と、林田は、コーヒーを飲みながら、二人に、いった。

「彼が、二十二歳ぐらいの頃ですね？」

と、田中が、きいた。

「そう。二年ぐらい、ここに住んでいて、よく、うちに、コーヒーを飲みに来ていたよ。わたしから見れば、まだ、子供だが、将棋は、強かったねえ。プロだから、当り前だが。ひいきの人に、車をプレゼントされたって嬉しそうに話してたことがある」

と、林田は、笑った。

「ここから、何処へ引っ越して行ったか、わかりませんか？」

と、片山が、きいた。

「それがさ。急にいなくなったんだ。あいさつもなしにさ。人殺しをやって、刑務所に入ったって噂を聞いたが、本当かどうか、わからないよ。ずいぶん昔の話だからね」

と、林田は、いった。

「その後、一度も、会っていないんですか？」

田中が、きくと、林田は、

「全く、会ってない。生きているのか、死んでいるのかも、わからないんだ」

と、いった。

二人は、その噂を、確めてみることにした。

幸い、こちらは、警察である。小笠原真二が、二十代で、刑務所に入っていれば、調べるのは、可能だった。

小笠原真二の名前を出して、調べて貰った。

人殺しというのは、本当だった。

小笠原は、二十二歳から、二十八歳までの六年間、宮城刑務所に、入っていたのである。

罪名は、殺人。八年の刑を受け、六年で出所している。

出所後、二年間は、住所がわかっていたが、その後、小笠原は、行方不明になっていた。

田中と、片山は、この殺人事件について、調べることにした。

十四年前の四月二十日に起きた事件である。

関東地区で、レストランのチェーン店を経営していた中央グルメの会長、篠原貞治《しのはらさだはる》、七十五歳が、熱海の別荘で殺され、五百万円の現金が奪われた事件である。

篠原は、その二年前に、社長の椅子を息子にゆずり、会長として、悠々自適の生活を送っていた。

その篠原の趣味が、将棋で、日本将棋連盟から、名誉五段を贈られていた。彼は、若い棋士を可愛がった。四段、五段の気鋭で、将来性のある棋士を、食事に誘い、小遣いを与えて、励ました。

熱海の別荘には、若い棋士たちが、よく、集った。

この頃、篠原が、特に可愛がっていたのが、四段になったばかりの小笠原だった。

篠原の可愛がり方は、異常なほどで、彼の二十二歳の誕生日には、国産スポーツカーを、贈ったくらいだった。

四月二十一日の朝九時に、通いのお手伝い黒木《くろき》朝子《あさこ》（六十歳）が、いつもの通り、別荘に着き、預っているカギで、入口のドアを開け、中に入ると、いつも、まだ寝ている筈の篠原が、ガウン姿で、一階の居間に倒れていた。

驚いて、朝子は、一一〇番した。救急車と、パトカーが同時にやって来たが、篠原は、すでに死亡していた。

後頭部を、鈍器で殴られた痕跡があり、静岡県警は、殺人事件として、捜査を始めた。

別荘には、三十五歳の運転手と、お手伝いの朝子の二人がいた。

運転手は、故郷に不幸があり、休みを貰って、福島に帰っていた。

朝子は、二十日の夕方六時に、いつものように、夕食を作り、帰った。この時には、篠原は、元気で、朝子に、「お孫さんは、元気でいるかね？」と、声をかけてくれたという。

篠原は、たいてい、夕食のあと、別荘内に引き込んである温泉に、ゆっくりとつかり、そのあと、ガウン姿で、二階にあがり、詰将棋を楽しむのを日課にしていた。

二十日も、同じことをしたらしく、二階の和室には、愛用の将棋盤が置かれ、詰将棋の本と、駒が並べられていた。

時刻は、わからないが、誰かが訪ねて来て、篠原は、ガウン姿で、一階におりて行ったのだろう。

司法解剖の結果、死亡推定時刻は、二十日の午後九時から十時の間、凶器は、居間に置かれた、南部鉄器の灰皿とわかった。

灰皿には、血痕がついていたが、指紋は、検出されなかった。

篠原が、詰将棋の途中で、誰かを迎え入れたことは、明らかだった。

しかも、その相手に、不用心に、背を向けていて殺されたことを考えると、犯人は、どうしても、顔見知りということになる。

聞き込みを続けていくと、二十日の午後九時頃、別荘の前に、白いスポーツカーが、とまっているのを見たという目撃者が現われた。

刑事が、スポーツカーの写真を見せて聞くと、問題のスポーツカーは、国産の新車で、東京ナンバーだったと、証言した。

そのスポーツカーは、翌二十一日の朝六時に、新聞配達が来たときには、消えていたという。

県警は、篠原が、若いプロ棋士たちを、よく、別荘に招いていたこと、その棋士の中に、問題のスポーツカーを持っている小笠原四段がいることを調べ出した。

更に、二十日の午後七時頃、小田原のガソリンスタンドで、給油した同じスポーツカーがいたことが、わかった。

給油係によると、東京ナンバーで、運転席にいたのは、サングラスをかけた、二十二、三歳の男だったという。

刑事が、すぐ、そのガソリンスタンドに行き、小笠原の顔写真を見せたところ、給油係は、よく似ていると、証言した。

午後七時に、小田原のガソリンスタンドで給油したとすると、熱海の、篠原の別荘には、午後八時から八時半の間には、着く。時間的には、符合するのだ。

この他、前日の十九日に、M銀行熱海支店から、篠原が、五百万円を持って来させていて、その現金が、無くなっていることも、わかった。

県警は、そこで、小笠原に狙いをつけた。が、すぐには、逮捕状をとらず、慎重に、捜査を続けていった。

県警が、慎重だったのは、動機だった。小笠原が、篠原に可愛がられていたことは、棋士仲間の証言で、はっきりしている。それなのに、なぜ、殺したのか、そこが、はっきりしなかったのである。

捜査を進めていくと、小笠原が、女性問題で悩んでいることが、わかった。

彼は、六本木のクラブのホステスと、親しくなっていた。成績が下がり、師の久保《くぼ》九段に叱責《しっせき》され、彼自身も、その女にあきていたので、別れ話を持ち出したところ、手切金を要求され、困っていた。

これが、動機ではないのか。

四月二十日、小笠原は、自分を可愛がってくれる篠原を訪ね、その手切金を貸してくれと頼んだ。だが、篠原から、その甘えた根性を叱責され、カッとなって、殺してしまったのではないのか。

静岡県警は、小笠原の逮捕に、踏み切った。

小笠原は、二十日の夜は、自分のマンションで、テレビを見て、寝たといった。しかし、証明する者はいない。

決定的になったのは、彼を逮捕したあと、彼のスポーツカーを調べたところ、助手席のシートの下から、札束の帯封の切れ端が、出て来たことだった。しかも、帯封には、M銀行熱海支店の責任者の印が、押してあったのだ。

小笠原は、起訴され、彼は、無罪を主張したが、有罪判決を受けた。八年の実刑だった。

日本将棋連盟は、小笠原を除名した。

3

十津川と、亀井は、まだ、戸倉上山田温泉にいた。

そこで、三田村たちの報告を聞いた。

伊知地の話も、小笠原真二の話も、十津川には、興味が、あった。

ただ一つ、十津川が、不満だったのは、伊知地が、週刊オピニオンを辞めたときのことだった。

「伊知地は、その時、宗方が、連続幼女傷害事件の犯人と、断定する原稿を書こうとしていたんだろう？」

と、十津川は、三田村に、きいた。

「そうです。それが、問題視され、週刊オピニオンを辞めることになったわけです」

「そうすると、今回と同じ疑問に、ぶつかってしまうんだよ。なぜ、その時、伊知地は、宗方が、犯人と確信したのかという疑問だよ」

と、十津川は、いった。

「ですから、宗方によく似た男が目撃されたとかですが——」

「それなら、今回と同じだよ。いや、今回の方が、彼が犯人である状況証拠は、ととのっている。だから、伊知地が、個人的に、宗方に憎しみを抱く理由があるに違いないと思っているんだ。それが、どうしても、知りたいんだよ」

と、十津川は、いった。

「もう一度、調べてみます」

と、三田村は、いった。

十津川は、田中と、片山の二人には、よく調べてくれたと、労をねぎらったあと、

「その小笠原真二が、出所したあと、どうなったか、現在、どうしているかを、ぜひ、調べて欲しい」

と、電話で、いった。

夜になってから、十津川と、亀井は、旅館の部屋で、今までにわかったことを、二人で、検討した。

「将棋日本」のバックナンバーのグラビアも、コピーが、FAXで、送られてきた。

それが、テーブルの上に、広げてある。仲居に、コーヒーを運ばせ、それを、ゆっくり飲みながらの検討になった。

三年前の事件の担当は、十津川ではなかったので、捜査報告書の写しを、送って貰っていた。

三年前の事件は、バイクに乗った犯人が、幼い女の子を、追い越しざま、ナイフで、背中

を刺して逃げるというものだった。重傷を負った子供がいたが、幸い、死者はいなかった。

世田谷区内で、連続して三件起きた。狙われたのは、幼稚園の五歳の女児、小学一年生が二人の三人で、母親たちを、恐怖に落し入れた。

二ヵ月半にわたった連続幼女傷害事件は、ある日突然、犯人が捕まらないままに、終息してしまったのである。

「今回の前奏曲みたいなものですね。三年たって、エスカレートしたということでしょうか」

と、亀井は、いった。

「使う道具も、バイクから、車になった」

と、十津川は、いった。

「同じ犯人でしょうか？」

「多分ね」

「こういう事件は、死ぬか、逮捕されるかしないと、同じ犯行を続けるものだと、犯罪心理学の先生が、いわれたのを覚えています」

と、亀井は、いった。

「私も、そう思うよ」

と、十津川は、いい、コーヒーを口に運んだ。

自然に、煙草にも、手が出る。難しい事件にぶつかると、どうしても、考えるのに、煙草の煙が、欲しくなってくるのだ。

「もし、宗方が犯人なら、彼は、捕ってもいないし、死んでもいませんから、何か特別なことがあって、止《や》めたことになりますね」

と、亀井が、いう。

「三年前、宗方は、A級を滑り落ちているし、師の佐藤九段から、叱責されたろうし、後盾の広川代議士にも、怒鳴られたんじゃないかね。それに、母親の死も重なって、止めたのかも知れない」

「その佐藤九段も、広川代議士も、もう亡くなっています」

「それで、心のブレーキが外れて、また、始めたかな？」

と、十津川は、いった。

「そうですね。エスカレートして、始めたのかも知れません」

と、亀井は、いった。

4

「次が、このグラビア写真だ」

と、十津川は、いった。

「確かに、良く似ています」

と、亀井は、微笑した。

「血液型も同じだし、この時、年齢も同じ二十二歳とある」

「今、二人とも三十六歳でしょう？　この小笠原の方は、どんな顔になっているんでしょうか？」

「彼は、六年間刑務所に入っている。すっかり変ってしまっているか、全然、変っていないか、どちらかだろうね」

と、十津川は、いった。

「どうしても、一度、会ってみたいですね」

亀井は、いう。

「小笠原が、服役した殺人事件なんだが、カメさんは、どう思う？」

と、十津川は、きいた。

「静岡県警の事件でしょう」

「そうだ」

「概略は、聞いています。小笠原が、女との手切金欲しさに、ひいきのオーナーを殺したという事件でしたね」

「そうなんだ。四段に昇段した時で、女が出来た。六本木のホステスで、別れようとしたら、手切金を要求された。当時、彼をひいきにしてくれていたレストラン・チェーンのオーナーがいた。そのオーナーは、当時、会長職になり、熱海の別荘で悠々自適の生活を送っていた。彼は、当時、四段だった小笠原を可愛がり、国産のスポーツカーをプレゼントしていた。そこで、小笠原は、この会長に、手切金を借りようとして出かけたが、その甘さを叱責されたので、カッとして、近くにあった鉄製の灰皿で殴り殺し、部屋にあった五百万を奪って逃げた。そういうことだ」

と、十津川は、説明した。

「小笠原が、犯人だという証拠は、何だったんですか？」

と、亀井が、きく。

「田中刑事たちが調べた結果では、こういうことだった」

と、十津川は、手帳を広げた。

「第一は、小笠原には、動機があった。女への手切金が欲しかったというね。第二は、白のスポーツカーを、東京から熱海へ行く途中のガソリンスタンドや、別荘の前で、目撃されている。ガソリンスタンドでは、小笠原と思われる男も、目撃されている。第三は、彼のスポーツカーの車内から、札束の帯封の切れ端が、見つかった。この三点だよ」

と、いった。

「完全ですね」

と、亀井が、いった。

「だから、有罪判決を受け、宮城刑務所に、放り込まれている」

と、十津川は、いった。

そのあと、新しい煙草に火をつけ、思い切り天井に向って、煙を吹きあげた。

「警部は、首をかしげますか？」

と、亀井が、きいた。

「別に、静岡県警の捜査に、ケチをつける気はないし、私が、捜査したとしても、これだけ証拠が揃えば、起訴するだろうね。ただ、いかにも、証拠が揃い過ぎている。こういう時には、用心する必要がある」

と、十津川は、いった。

「そういえば、確かに、揃い過ぎていますね。動機もある。目撃者もいる。そして、札束の帯封が、車の中から出てきた。完璧です」

「小笠原は、裁判で、否認し、否認のまま、有罪判決を受けている。ただ、八年の刑を受けたが、六年で出所している」

と、十津川は、いった。

「そこが、よくわかりませんね。普通、刑務所に入ってからも、無実を叫び続けていると、改悛《かいしゅん》の情がないということで、刑期が短縮するなんてないでしょう？」

亀井が、首をかしげる。

「そうなんだが、小笠原も、最初は、反抗的な態度を取り続けていたらしい。ところが、三年を過ぎた頃から、急に、模範的な囚人に変って、それで、刑期が、二年、短縮されたんだよ」

「何があったんですかね？」

「それを、宮城刑務所に調べて貰っているんだがね」

と、十津川は、いった。

「反抗的な態度をとっていても、自分が損をするだけだと、さとったということなんですかね？」

「そうなんだが、問題は、その根にあるのが何かということだよ。彼が真犯人で、罪を認めて、大人しくなったのか、いぜんとして、無実を主張しているんだが、早く出たいので、戦術として、大人しくなり、模範囚になったのか？」

と、十津川は、いった。

「伊知地記者ですが――」

と、亀井が、いうと、十津川は、笑って、

「今日も、草津から、電話をかけて来たよ」

「しつこいですね」

「芸者のぼたんが、やはり、今日、草津へ行ったらしい」

と、十津川は、いった。

「ここの置屋が、よく許しましたね。『花扇』では、ナンバー・ワンの稼ぎ手でしょう？」

「そうなんだが、ぼたんが、草津に行かせてくれなければ、芸者をやめるといったので、仕方なく行かせたそうだ」

と、十津川は、いった。

「ぼたんは、そんなに、宗方に惚れているんですかね？」

「惚れているのか、それとも、ぼたんが、宗方に賭けているのか、どちらかだろうね」

と、十津川は、いった。

「賭ける――ですか？」

亀井が、きく。

「私の聞いたところでは、ぼたんは、女友だちに、結婚したい、それも、将来性のある男と結婚したいと、いっているんでね。それに、ぼたんは、芸者をやっているおかげで、男を見る眼が出来た。株でいえば、買って得をする株と、損をする株の見分けがつくんだと、いっていたらしい」

と、十津川は、いった。

「なるほど。そういう意味ですか」

「ぼたんは、芸者だ。普通の若い女みたいに、ただ、好きだから、夢中になるなんてことはないんだろう。宗方なら、つくして、損はないと、計算しているんだと思うよ」

と、十津川は、いった。

「宗方が、名人になって、うまくいけば、名人夫人ですか」

「宗方の方も、今、ぼたんを必要としてるんだと思うよ。大事な第一局を、信じられないような悪手で落して、気落ちしているところだからね」

と、十津川は、いった。

「草津では、今のところ、何も起きていませんか？」

と、亀井は、きいた。

「西本と、日下の二人が、草津に行っているが、今のところ、何かが起きたという報告は、入っていないよ」

と、十津川は、いった。

「伊知地記者は、また、何か画策しているんですかね？」

と、亀井が、いった。

「明日一日かけて、この戸倉上山田温泉での伊知地の動きを、調べてみたいと、思っているんだがね」

と、十津川は、いった。

「それは、伊知地が、芸者ぼたんを、誘拐し、監禁したのではないかという疑惑をですか？」

「その通りだよ」

と、十津川は、いった。

5

翌日、朝食のあと、二人は、伊知地の足どりを追うことにした。

伊知地は、最初、名人戦第一局の行われた清涼館ホテルに、泊っていた。

第一局に敗れた宗方が、清涼館ホテルを出て、紫雲荘という日本旅館に移った。

その時、伊知地も、清涼館ホテルをチェック・アウトし、紫雲荘の近くの「ちはや」という旅館に、移動している。

十津川と、亀井は、その「ちはや」という旅館に、行ってみた。

全部で、二十九室という、小ぢんまりした旅館である。

十津川と、亀井は、そこで、女将《おかみ》に会った。警察手帳を見せ、

「ここに、週刊日本の伊知地記者が、泊っていましたね？」

と、確めるように、きいた。

「ええ。でも、もう、いらっしゃいませんよ」

「それは、わかっているんです。ここでの彼の様子ですが、毎日、どんな様子でしたか？」

と、十津川は、きいた。

「毎日、朝食をすませると、取材だといって、お出かけになっていましたわ」

と、女将は、いう。

「歩いて？　それとも、タクシーを呼んでですか？」

「いいえ。レンタカーをお借りで、それに乗って、お出かけでしたよ」

そのレンタカーは、どうやら、白のカローラだったらしい。

レンタカーを動かしていたのなら、芸者ぼたんを、誘拐するのは、さほど難しくはなかったのではないのか。

「伊知地記者は、よく、何処かへ電話していました？」

と、亀井が、きいた。

「携帯を使っていらっしゃったので、わかりませんけど、東京の会社と、大きな声で、ケンカしているのは、聞こえましたわ」

と、女将は、いう。

「会社というのは、週刊日本社かな？」

「そうだと思いますわ。最後の日の夜ですけど、おれが辞めれば、文句はないんだろうって、怒鳴っていらっしゃいましたわ」

「辞めるといったんですか？」

と、十津川は、きいた。

「ええ。本当に、お辞めになったかどうかは、知りませんけど」

女将は、慎重ないい方をした。

それは、東京の週刊日本社に、問い合せれば、わかるだろう。

「その他、伊知地記者について、何か気がついたことは、ありませんか？」

と、十津川は、きいた。

「どういうことでしょうか？」

「どんな小さなことでもいいんですよ」

「何かあったかしら？」

と、女将は、考え、仲居を呼んで、

「あの記者さんのことで、何か、気がついたことがある？」

と、きいてくれた。

若い仲居は、最初、遠慮して、黙っていたが、十津川が、促すと、

「変なことが、一つありましたよ」

と、いった。

「どんなことです？」

「毎日、お部屋の掃除をしているんですけど、水洗トイレが、詰っていたことがあるんです。お客さんは、流したと思って、外出なさったんですけど。それで、調べてみたら、ハンカチが、詰っていたんですよ」

と、仲居が、いった。

「ハンカチがね」

「それで、そのハンカチを、引き出したんです。そしたら、変な匂いがして」

「変な匂い？」

「ええ」

「そのハンカチで、お尻を拭いたのかね？」

と、亀井が、笑いながら、きく。

「違いますわ。トイレットペーパーは、切らさずに、いつも、トイレに入れてますもの」

仲居は、怒ったように、いった。

「すると、どういう匂いかな？」

十津川は、きいた。

「何か、変な薬の匂いで、気分が悪くなりました」

と、仲居は、いった。

「クロロホルムじゃないのか？」

十津川は、亀井と顔を見合せて、呟やいた。

十津川は、女将にことわって、その仲居を、車で、総合病院へ連れて行き、クロロホルムを嗅がせた。

仲居は、すぐ、顔をそむけて、

「似てます。この匂いでした」

と、いった。

これで、伊知地が、クロロホルムを、持っていた疑いが出てきた。

当然、これを使って、伊知地が、芸者ぼたんを、誘拐、監禁した可能性が出てきた。

もちろん、だからといって、犯人と、断定は、まだ出来ない。

次に、十津川は、本屋で、週刊日本を買い求め、そこにあった電話番号に、かけた。

デスクに出て貰い、伊知地のことについて、聞きたいと、十津川が、いうと、

「彼は、もう、うちの記者では、ありませんので、彼が、どんな事件を起こそうと、関係は、ありません」

と、相手は、冷たく、いった。

「しかし、伊知地さんは、週刊日本の記者として、この戸倉上山田温泉に来ていたわけでし

ょう？」

と、十津川は、いった。

「そうなんですが、東京に戻って来いというと、宗方八段を追って、草津まで行くというんですよ。うちは、将棋雑誌じゃありませんから、他の取材をしてくれといったんですが、ケンカになりましてね。自分で、勝手に、草津へ行くといって、電話を切ってしまったんですよ」

と、デスクは、いった。

「それで、馘ですか？」

「仕方がないでしょう。警察だって、上の命令を聞かずに、勝手に動き廻る刑事は、馘にするでしょう？」

と、デスクは、いった。

「まあ、そうですね」

と、十津川が、いうと、

「それと同じですよ。とにかく、伊知地は、もう、うちの人間じゃありませんから、逮捕でも何でも、勝手にやって下さい」

と、デスクは、いった。

十津川は、電話を切ると、

「冷たいものだね」

と、亀井に、いった。

「私は、彼が、週刊日本を馘になったんで、余計に、心配になりました」

と、亀井は、いった。

「なぜ？」

「今までは、週刊誌の記者ということで、伊知地の気持に、ブレーキが働いていたと思うんです。そのブレーキが無くなったわけですから、今度は、もっと露骨に、宗方功を、幼女殺しの犯人に、しようとするんじゃありませんか？」

と、亀井は、いった。

「その恐れはあるね。それにしても、なぜ、伊知地は、宗方功を、犯人にしたがるのかね？」

と、十津川は、いった。

十津川は、亀井の不安を入れて、草津へ行くことにした。

レンタカーを運転して、草津温泉に向う。

更埴インターチェンジから、上信越自動車道に入り、小布施《おぶせ》に行き、志賀高原を抜けて、草津温泉へ、向った。

途中の食堂で、昼食をとったあと、十津川は、東京の捜査本部に電話をかけた。

三田村たちに、その後、何か、わかったことはないかと、聞くと、田中刑事が、

「小笠原のことで、一つわかったことがあります」

と、いった。

「彼の居場所が、わかったのか？」

と、十津川が、きくと、

「それは、まだ、わかっていませんが、小笠原が、宮城刑務所に入っている時、当時、週刊オピニオンに、入社したばかりの伊知地が、面会に行っていることが、わかったんです」

と、田中は、いった。

「何のために面会に行ったんだ？」

「それは、今、調べていますが、五回も、面会に行っているんです」

と、田中は、いった。

第五章　書かれなかった伝記

1

田中と、片山の二人の刑事は、その日の中《うち》に、東北新幹線で、仙台に向った。

至急、伊知地が、宮城刑務所に、小笠原に面会に行った理由を調べろと、十津川に、いわれたからである。

電話で問い合せていたのでは、埒《らち》があかない。

それで、二人は、東北新幹線に、飛び乗ったのだ。

仙台に着くと、タクシーで、宮城刑務所へ急いだ。

刑務所に着き、所長に会うと、所長は、あらかじめ、電話しておいたので、すぐ、古い面会記録の抜粋を見せてくれた。

全て、収監されている小笠原への面会で、面会人は、伊知地になっている。

「電話でお話しした通り、全部で、五回です」

と、所長は、いった。

「私たちが知りたいのは、この伊知地が、五回も、小笠原に会いに来た理由です。彼は何のために、小笠原に会いに来たんですか？」

田中が、きいた。

「伊知地記者本人は、話さないんですか？」

所長が、不思議そうに、きいた。

「本人に聞けない事情があるのです」

と、田中は、いった。

「そうですか」

と、所長は、肯《うなず》いてから、

「私には、小笠原の伝記を書きたいので、面会を許可して欲しいと、いっていましたね」

「伝記？」

「まあ、その後、小笠原の伝記は、出ていないので、嘘だと思いますが、小笠原から、彼が逮捕された時のことを、熱心に聞いていたのは、間違いありません」

「パトロンを、金欲しさに殺した事件ですね？」

と、田中が、念を押すように、きいた。

「そうです。十四年前の四月二十日に、熱海の篠原貞治が殺され、五百万円が盗まれた事件です」

と、所長は、いった。

「小笠原は、刑務所に入ってからも、無実を叫び続けていたそうですね？」

と、片山が、きいた。

「そうですが、不思議なことに、伊知地記者が、面会に来るようになってから、急に、態度が変りましてね。無実を叫ぶこともなくなり、反抗的な態度も消えて、すっかり、模範囚になりました。それで、刑期が、二年、短縮されたんです」

「なぜ、急に、小笠原の態度が、変ったか、理由が、わかりますか？」

と、田中は、きいた。

所長は、小さく、頭を横に振った。

「それが、わからないのです。今もいったように、伊知地記者が、面会に来て、何回か会っている中《うち》に、そうなったことは、間違いないんです。ただ、どう、影響したかが、わからなくて、不思議に思っているんです」

「伊知地は、小笠原真二の伝記を書きたいと、いっていたわけですね？」

念を押すように、片山が、いった。

「そうです。何回も、小笠原への面会を求めてくるので、その理由を聞いたところ、自分は、小笠原真二という人物に、大変興味を持っている。天才的な棋士として、将来を嘱望されていたのに、自分を可愛がってくれていた人を殺してしまった。その原因を追及したい。そのために、小笠原真二という男の履歴書を作りたいと、いいました。小笠原自身も、伊知地記者に会ってみたいというので、実現したわけです。それで、彼の態度が変り、模範囚になったので、成功したと思っています」

と、所長は、いった。

「二人で、話したのは、殺人事件についてだということですが、他の話はしなかったんですか？」

と、田中は、きいた。

「主に、殺人事件のことですが、伊知地記者は、伝記を書きたいというだけに、小笠原の幼い時のことも、聞いていましたよ」

と、所長は、いった。

「二人の面会では、記録は、とってありますか？」

片山が、きいた。

所長は、ちょっと、困った顔になって、

「看守が、耳にした限りは、記録してありますが、録音はしてありません」

と、いった。

「それでも結構です。見せて下さい」

と、片山は、いった。

二人は、伊知地が、面会に来た五回の記録をコピーして、それを、捜査本部に、持ち帰ることにした。

東京に戻り、二人は、そのコピーを、十津川のいる草津の旅館に、ＦＡＸで送った。それには、田中が、次のように、付け加えた。

〈所長の話では、二人の会話は、急に、小声になることがあり、立ち合いの看守が聞き取れず記録されないこともあったということです。その点、考慮しながら、面会記録を読むのが、適切と考えます〉

2

十津川と、亀井は、草津温泉の「いろは旅館」で、このコピーを、受け取った。

この旅館は、有名な草津の湯畑《ゆばたけ》の近くにある。

別に、湯畑に興味があって、この旅館にしたわけではなかった。近くに、宗方と、伊知地が、泊っていたからだった。

二人は、夕食のあと、五枚のコピーに、眼を通した。

面会記録は、月日順になっている。

第一回目は、小笠原が刑務所に入って、四年目（十一年前）の五月二十一日である。

その後、伊知地は、一週間に一回、刑務所を訪ね、小笠原に面会している。

記録を読むと、流石《さすが》に、第一回目の時は、小笠原も、相手を警戒し、口数が少い。刑務所の生活についても、当り障りのないことしかいわないし、伊知地の、今でも、無実と思っているのかという問いに対して、「無言」と、書かれている。

二回目から、少しずつ、小笠原の気持が、ほぐれていくのが、記録からも、読み取ることが出来る。

二回目は、雑談に終始。

三回目の六月四日は、二人の間で、事件について話し合った。記録によれば、こんな具合である。

伊「あの事件についてだが、僕は、出来る限り調べてみた。君が、犯人だとすると、どうも腑《ふ》に落ちないことが多いんだよ。第一、君が五百万の金を奪ったことになっているが、それが、何処《どこ》に行ったか、全くわからない。裁判では、女に渡したに違いないと、検事はいっていたが、僕が調べた限りでは、その事実はなかった」

小「当り前だ。おれは、犯人じゃないし、金も持ってない。ただ誰も、信じてくれなかった」
伊「僕は、信じるよ」
小「なぜ、信じてくれるんだ？」
伊「僕は、あの事件に興味を持って、調べてみた。プロ棋士として、前途有望な人間が、なぜ、五百万の金欲しさに、恩人ともいえる相手を殺したのか、僕には、不思議だった。それに、事件自体が、出来すぎているような気がして、仕方がなかった。状況証拠が、全て、君に不利だというのは、よく考えてみれば、おかしいんだよ。例えば、東京から、熱海へ行く途中のガソリンスタンドで、君のスポーツカーが目撃され、君に似た男が、給油している。被害者の別荘の前でも、君のスポーツカーが、目撃されている。君が犯人なら、こんなバカなことはしないのではないかと、思ったんだよ」
小「僕は、熱海になんか、行ってないんだ。それを、いくらいっても、信じて貰《もら》えなかった」
伊「君には、アリバイがなかったからな」
小「ひとりで、マンション暮しをしていれば、夜、アリバイがなくても、不思議じゃないよ。ひとりでテレビを見ていたんだ」
伊「それでは、警察も、検事も、信用しないだろうな」

小「ああ、誰も、信用してくれなかったよ」
伊「これは、見方になってくるんだ。君を犯人だと見れば、全ての状況証拠が、君が、犯人であることを示しているように見える。だが、僕のように、君が、犯人じゃないと思うと、今度は、全ての状況証拠が、不自然に見えてくるんだよ。今もいったけれど、あまりにも、出来すぎているようにね」
小「僕も、そう思ったよ」
伊「それを、警察や、弁護士には、主張したんだろう？」
小「もちろん、いったよ。だが、信じて貰えなかった。弁護士にもね」
伊「これは、確認しておきたいんだが、君は殺してないんだね？」
小「僕は、無実だ」
伊「それならいい。僕も、君が、犯人じゃないと、信じる。信じて、君のこと、事件のことを、調べるつもりだ」
小「わかりませんね。なぜ、僕なんかに、興味を持つんですか？」
伊「僕は、雑誌記者だ。事件には、興味がある。その中でも、君の事件は、一番興味を持って調べてみた。そして、君が、無実なんじゃないかと考えるようになった。だから、君に会いたくなった。そういうことだよ」
小「僕の伝記を書きたいんだって？」

伊「伝記というより、君のことを書きたいといった方が、適切だ。君という人間に興味を持った。だから君のことを、いろいろと、聞きたい。君が、生れた時から、今日までのことをね」

このあと、小笠原が、自分の過去について、伊知地に聞かれるままに、喋っている。

それは、第四回の面会の時も続いていた。

最後の第五回の面会の時は、がらりと変って、事件のことに戻り、一番重大だと思われる会話が、記録されていた。

六月十八日の面会の記録は、次のようなものだった。

伊「先週までで、君の経歴も、物の考え方もわかった。それで、また、あの事件のことになるんだが、君が、犯人でなければ、別に真犯人がいることになる」

小「ああ。そうだ」

伊「とすると、途中のガソリンスタンドで、給油した男も、熱海の別荘の前に、スポーツカーを、とめておいたのも、君でなくて、真犯人ということになる。それも、わざと、そうしたことになる。君を、犯人に仕立てるためにね」

小「僕も、そう思っている」

伊「もう一つ、この殺人は、五百万円が欲しくて、行われたものとは思えなくなってくるんだよ。金を奪うためなら、別荘のオーナーの篠原貞治を殺さなくてもよかったんだ。事件の時、別荘には、篠原一人しかいなかったんだから、脅《おど》して、金を奪うのは、簡単だった筈《はず》だからね。それなのに、殺してしまっている」

小「僕なら、殺さなくても、五百万ぐらい、貸して貰えた。自分でいうのは、おかしいが、篠原さんからは、可愛がられていたからね」

伊「そうなんだ。篠原さんは、君に、国産のスポーツカーをプレゼントしている。そのくらい、君に入れこんでいた。犯人は、そんな君に、嫉妬《しっと》していたんだと思う。君の才能、君の政治力、君のパトロンにね、そんな君を破滅させたかったんじゃないか。五百万円が欲しいわけじゃなかった。そう思わないか？」

小「――――」

伊「そうだろうね、君だって、考えた筈だ。真犯人は、誰なのか？　なぜ、自分を罠《わな》にはめたのかとね」

小「ここに来てからも、ずっと、考え続けたよ」

伊「そして、多分、一人の男の名前を、頭に思い浮べた筈だ。僕も、一人の男が、浮んでいる。その男は、君に、顔が似ていて、年齢が同じだ。だから、ガソリンスタンドの人間が、君と間違えた。それから、殺された篠原は、犯人を、自分から、別荘へ招じ入れ、しかも、犯人に、安心して、背中を見せている」

小「だから、お前が、犯人に違いないって、警察にも、検事にもいわれたんだ」

伊「篠原という人は、君を応援していたが、他のプロ棋士に対しても、いろいろと、援助をしていたんだろう？」

小「あの人自身、将棋好きで、若手の有望な棋士が、好きだったんだ」

伊「それなら、真犯人が、若手の棋士だった場合、喜んで、別荘に招じ入れ、安心して、背中を向けると思うよ。そう考えてくると、真犯人は、自然に、浮び上ってくる。その男は、君が持っていたスポーツカーと同じものを、多分、レンタカーで借り、ナンバーを付けかえて、熱海の別荘に行き、篠原貞治を殺したんだよ。或いは、君のスポーツカーを無断で、乗り廻してね。君を、殺人犯に仕立てるためだ。札束の帯封の切れ端を置いていったのも、その男の仕業だろう」

小「――――」

伊「君にだって、その男の名前は、わかっている筈だ」

小「だが、証拠はない」

伊「そうだ。証拠はないし、君は、有罪判決を受けて、服役中だ」

小「どうすることも出来ないよ」

伊「確かに、そうだが、君が、刑務所に入っていたんではどうしようもないよ。たとえ、僕が、君を助けてやろうとしても、何も出来ない」

小「どうしたらいいんだ？」

伊「それは、君が、考えることだ。君は、あと五年の刑期がある。それを、少しでも短かくすることを考えるんだ。君が、一日でも長く入っているということは、それだけ、真犯人を喜ばせることだからね。これ以上、僕が、何かいわなくても、君には、わかる筈だよ」

3

十津川は、五回の面会の記録を読み終ると、何となく、亀井と、顔を見合せた。

「小笠原が、急に、模範囚になった理由が、わかりましたね」

と、亀井が、いった。

「一日でも早く、宮城刑務所を出たかったんだよ。有罪を認めたからじゃないんだ」

と、十津川は、いった。

「そうですね。小笠原は、あくまでも、無実を主張して、看守に対して、反抗的な態度をとっていたのが、急に、それを止《や》めてしまって、模範囚になった。それは、罪を認めたんじゃなくて、警部のいわれるように、一日も早く外に出て、自分を罠にはめた真犯人に、復讐するためだったわけですよ」

と、亀井は、いった。

「真犯人は、宗方功か」

「他に、考えられません」

「だが、宗方功が、真犯人だという証拠は、あるのかな？」

十津川は、考え込んでしまった。

何しろ、十四年前に起きた事件である。しかも、警察は、最初から、容疑者を、小笠原一人に、しぼって、捜査した形跡がある。

熱海で起きた殺人事件なので、静岡県警が捜査したのだが、その時、新聞、テレビは、大きく報道したので、十津川も、覚えている。

当時、小笠原が、前途有望な若手のプロ棋士で、それが、自分の理解者であり、パトロンである人を殺し、金を奪ったというので、マスコミが、大きく取りあげたのである。

プロ棋士仲間の談話も、新聞にのっていたような記憶が、十津川にはある。多分、宗方も、仲間の一人として、何か喋《しゃべ》っていたのではないか。

同じ草津に来ていた二人の刑事を、十津川は、呼び、

「すぐ、静岡県警へ行ってくれ。十四年前に熱海で起きた殺人事件について、詳しい話を聞いて来て欲しいんだ」

と、いい、十四年前の事件について、話した。

十津川は、二人を、静岡に行かせたあと、今度は、東京の捜査本部に電話をかけた。十四年前の事件について、当時のマスコミが、どんな風に報じているか、それを調べて、知らせてくれるように、頼んだ。

それが、終ると、十津川と、亀井は、いろは旅館を出た。

すでに、外は、暗くなっている。

千曲川《ちくまがわ》周辺は、陽が落ちると寒かった。この草津も、寒い。ただ、旅館の前の湯畑からは、温泉の湯気が立ち昇っていて、それが、温く感じられる。

五十メートルプールのような大きな湯畑の周囲には、コンクリートの柵が設けられていて、丹前姿の観光客が、数人、その柵にもたれて、湯畑を眺めていた。

湯畑は、草津の名物で、硫黄《いおう》分の多い、高温の湯を、木の樋《とい》を通して、温度を下げると共に、木樋に沈澱した硫黄分を採取して、「湯の花」にして、草津土産として販売している。

十津川と、亀井も、コンクリートの柵にもたれて、しばらく、湯煙りを眺めた。鼻をつく硫黄の匂いで、長くは、見ていられない。

二人は、湯畑を離れて、歩き出した。宗方が泊っているホテルが見える。その隣りの旅館には、伊知地が、泊っている筈だった。

「また、ここで、事件が、起きるんでしょうか?」

歩きながら、亀井が、いう。

「少くとも、伊知地は、それを期待して、ここに、来ていると思うよ」

と、十津川は、いった。

「警部は、宗方が、犯人とは、もう、考えておられないんでしょう？」

「実は、そこが、難しいんだ」

と、十津川は、いった。

「そうですか？」

「伊知地の面会記録を、そのまま、信じれば、宗方が、犯人という線は、うすくなってくる。小笠原は、十四年前、自分を、殺人犯に仕立てたのは、ライバルの宗方だと思っているし、伊知地も、そう考えて、一刻も早く、出所しろとすすめている。それは、復讐のすすめだ」

十津川は、重い口調で、いった。

「そうですね。結果的に、伊知地は、小笠原に、復讐をすすめているんです。言葉には、出しませんがね」

「小笠原は、刑期を二年短縮して、出所し、復讐を始めたと、考えられる。十四年前、宗方は、自分の顔が、小笠原に似ているのを利用して、彼を殺人犯人に仕立てあげた。今、逆に、小笠原が、顔が似ているのを利用して、宗方を、連続幼女暴行殺人の犯人に仕立てあげようとしていて、伊知地が、それに、一役買っているように見える」

「そうです」

「だが、疑問もある」

と、十津川は、いった。

「どんな疑問ですか？」

「まず、小笠原が、真犯人だという証拠がない」

「見つけますよ」

「小笠原が、十四年前、宗方に、罠にはめられたのなら、なぜ、直接、宗方を刺すなり、殺すなりして、恨みを晴らさないんだろう？　なぜ、面倒くさい方法を取るのか？」

十津川は、いった。

「それは、こう考えたら、いいと思います。十四年前、小笠原は、殺人犯として、刑務所に放り込まれ、真犯人の宗方は、全く傷つかず、プロ棋士の道を、突き進んでいる。もし、その復讐で、宗方を殺してしまったら、自分も、また、刑務所に逆戻りです。これでは、本当の復讐にはならない。そう思って、面倒くさい方法をとったんじゃありませんか？　十四年前とは逆に、宗方を刑務所に放り込み、自分は、安全な場所で、笑ってやるという復讐です」

と、亀井は、いった。

十津川は、立ち止って、煙草《たばこ》に火をつけた。暗さが増して、その火が、ぼうっと赤く見える。

「なるほどね。そう考えるのが、いいところだと思うが、ただねえ」

「何です？」

「三年前、幼女が、背後から、刺されるという事件が、相つぎ、宗方が、疑われた」

「そうです。今から考えると、小笠原が、宗方を罠にはめるために、やったと見えます」

と、亀井は、いった。

十津川は、また、ゆっくり歩き出しながら、

「この事件で、幼女は、いたずらもされていないし、殺されてもいない。しかし、今回は、いたずらされ、しかも、殺されている。この間に、大きなギャップがあるんだよ。同じく、小笠原が、犯人だとすると、そのギャップは、どう説明したらいいんだろう？」

「確かに、ギャップがありますね」

と、亀井も、肯く。

「それにだ。われわれの推理が正しければ、小笠原が、宗方に、復讐していることになる」

「その通りです」

「それなら、宗方の知り合いの誰かを殺して、それを、彼のせいにすれば、一番いいんじゃないかね？　十四年前の全く、逆にだよ。私なら、そうするね。なぜ、幼女を襲う必要があるんだろう？」

十津川は、首をかしげて、いった。

「そういわれてみると、確かに、そう思えますが」

急に、亀井も、当惑の表情になった。

寒さが、増して来たので、二人は、旅館に戻った。

一度、温泉で、身体を温めてから、話の続きをすることにした。

亀井が、仲居に頼んで、コーヒーを運んで貰い、いつもの通り、それを飲みながらの話になった。

「いろいろ、考え方があるような気がする」

と、十津川は、いい、言葉を続けて、

「宗方に、幼女にいたずらするとか、殴るといった性癖があるので、それを利用して、彼を、犯人に仕立てあげようとしたのかということが、まず、考えられるね」

「宗方にですか。聞いたことが、ありませんが」

「そんな性癖があったとしても、必死になって、隠そうとするよ。名人への挑戦者になれば、なおさらだ」

と、十津川は、いった。

「確かに、そうですが、もし、宗方に、そういう性癖があって、彼が、幼女暴行、殺害の犯人だとしたら、二台のベンツや、小笠原は、どういうことになってしまうんですか？」

亀井が、怒ったように、いった。

「小笠原の存在が、無意味になってしまうか」

「そうです」

「しかしねえ、小笠原が、復讐のためとはいえ、幼女を、何人も、誘拐し、いたずらしたあげく殺してしまうというのも、納得しにくいんだよ。そこまでやるだろうかとね」

と、十津川は、いった。

「そうですが、宗方でも、小笠原でもないとすると、後は、伊知地しかいなくなってしまいます。彼には、なおさら、幼女を殺す理由がありません。芸者のぼたんを、宗方を追いつめるために、誘拐、監禁はするかも知れませんが」

と、亀井は、いった。

十津川は、東京の三田村と早苗に電話をかけ、

「三年前に、東京の世田谷で起きた幼女への連続暴行事件について、調べて貰いたいんだ」

と、いった。

「あれは、未解決事件になっている筈ですが」

と、三田村が、いう。

「わかっている。問題は、その捜査の過程で、容疑者として、宗方功か、小笠原真二の名前が、あがってなかったかどうか知りたいんだ」

「わかりました」

「もう一つ、宗方と、小笠原のどちらかに、幼女にいたずらしたいという性癖があるかどうか知りたい。もし、あったとしても、必死になって、隠しているだろうから、捜査は、難しいだろうがね」

と、十津川は、いった。

「明日から、聞き込みに廻りますが、そちらは、大丈夫ですか？　田中や、片山も、心配していますが」

「大丈夫だ。同じ旅館に、西本と日下の二人もいるからね。それに、今のところ、この草津では、宗方たちに、動きはない」

と、十津川は、いった。

その西本と、日下の二人が、部屋に入って来た。

亀井が、二人にも、コーヒーをいれてやってから、

「連中は、動かないな」

と、声をかけた。

「宗方は、その隣りのホテルに、芸者のぼたんと一緒で、めったに、外へ出て来ません。伊知地の方は、よく、出歩いています。何か企んでいるのかも知れません」

と、西本が、いった。

「宗方のベンツは、ホテルの駐車場に、とめてあるんだろう？」

と、十津川は、きいた。

日下は、「頂きます」と、コーヒーを口に運んでから、

「駐車場にとめたまま、殆《ほとん》ど動いていません」

「左のフェンダーには、傷がついたままか？」

「修理する様子は、ありませんね」

「もう一台のシルバーメタリックのベンツは、見かけたか？」

「同じように、左フェンダーが、傷《いた》んでいるベンツですね？」

「そうだ」

「二人で、毎日、何回か、見て廻っていますが、まだ、見かけません」

と、日下は、いった。

「宗方が、動かないから、もう一台のベンツも、動かないのかな」

「警部は、もう一台、よく似たベンツが、存在すると、お考えなんですか？」

西本が、きいた。

「正直にいって、わからないんだ。二台のベンツを同時に見たわけではないからね。しかし、二台のよく似たベンツがあれば、宗方は、無実ということになってくるんだ。一台しかなければ、宗方はクロだ」

と、十津川は、いった。

だが、それを証明するのは、難しい。戸倉上山田《とぐらかみやまだ》温泉でも、どちらともわからなかった。今は、何処でも、道路が、よく整備されている。そのため、もし、真犯人がいて、もう一台のベンツで、犯罪を重ねているのだとしても、車を、現地の戸倉上山田温泉に置いておく必要はないことになる。

この状況は、この草津温泉でも、同じだと、十津川は、思っていた。

二台目のベンツが存在したとしても、それは、草津温泉の中に、とめてあるとは、限らないのだ。

「もし、二台目の車が、実在しているとしてですが、その場合、警部は、この草津温泉に、とめてあるとは、思われないというのでしょう?」

西本が、いった。

「その必要はないんだ。関越自動車道を利用すれば、かなり遠くに、車を置いておいてもいいわけだからね」

「しかし、それでは、草津温泉にいる宗方の動きは、わかりません。戸倉上山田温泉の時も、同じだったと思うんですが、小笠原が、同じベンツを使って、宗方を罠にはめるにしても、宗方の動きを知らなければ、罠にはめようがないと思うのです」

と、西本は、いった。

「その通りだよ」

十津川が、肯く。

「協力者が、必要です」

と、日下が、いった。

「どんな風にだ？」

「小笠原が、離れた場所にいたとすると、宗方の動きを、協力者が、逐一《ちくいち》、知らせていないと、うまく、罠にはめられないと思います。だから、協力者がいたと、思いますね」

と、日下は、確信を持って、いった。

「その協力者は、誰だと思うんだね？」

「一人しか、思いつきません。伊知地です」

と、日下が、いい、西本も、

「私も、同じです」

と、いった。

「伊知地が、なぜ、協力者になったのか、その理由は、説明がつくのか？」

と、十津川は、二人にきいた。

「宗方に対する憎しみかも知れません」

西本が、いった。

「憎しみ？　なぜ、宗方を憎む？」

亀井が、きくと、西本は、困惑した顔になって、

「わかりませんが、憎しみがなければ、伊知地は、協力者にならないと思います。何しろ、戸倉上山田温泉では、幼女を殺害して、宗方を、犯人に仕立てあげようとしたわけで、殺人の共犯者になるんです。よほどの理由がなければ、共犯者にはならないと、思います」

と、いった。

4

翌日。

宗方が、草津温泉のホテルに泊る最後の日だった。

彼が泊る笠木旅館は、明日、チェック・アウトの予定になっていた。

芸者のぼたんは、いぜんとして、まだ、同じホテルに、泊っている。或いは、東京へ、連れて帰る気なのかも知れなかった。

十津川と、亀井は、朝食のあと、昨夜と同じように、湯畑に、行ってみた。湯畑にというより、宗方の泊っている笠木旅館を、見に行ったという方が、正確だろう。

朝食は、旅館でとるが、昼食は、外に出て来てとるという話を、西本たちから、十津川は、聞いていた。

「この草津で、事件が起きるとすれば、今日中だろうね」

と、十津川は、宗方の泊っている笠木旅館に眼をやった。

「また、幼女殺しでしょうか？」

亀井も、同じ旅館に眼をやって、いった。

「カメさんは、どう思うんだ？」

「戸倉上山田温泉のことを考えると、真犯人は、何とかして、宗方を、幼女殺しの犯人に仕立てあげようとしているように見えます。理由は、わかりませんが、それを考えると、今度も、幼女殺しの犯人に仕立てようとするに違いありません」

と、亀井は、いった。

「昨日、日下刑事がいったことを、どう思うね？」

十津川は、湯畑の柵にもたれて、亀井に、きいた。

「小笠原が真犯人だとすると、伊知地が、共犯ではないかということですか？」

「そうだ」

「今のところ、共犯者がいるとすれば、伊知地の名前しか、浮んで来ません」

と、亀井は、いった。

「確かに、そうなんだが――」

「昨日、警部が、いわれたように、殺人の共犯にまで、伊知地がなるだろうかという疑問は、当然、わいて来ます」

と、亀井は、いった。

「そこが、問題なんだよ」

「ただ、伊知地の、宗方に対する態度は、最初から、異常でしたよ。これといった証拠もないのに、戸倉上山田温泉では、宗方を、幼女殺しの犯人と決めつけていましたから」

「芸者ぼたんを、誘拐、監禁したのが、伊知地だとすれば、彼は、そんなことまでして、宗方を、心理的に追い込もうとしたわけだ。いや、宗方が、幼女殺しの犯人と思わせる空気を、作っていったというべきか」

「それを考えると、伊知地の気持は、尋常じゃありませんね」

と、亀井は、いった。

「殺人の共犯になってでも、宗方を幼女殺しの犯人に仕立てあげたいと思っているのも、当然というわけか」

十津川は、いった。

「伊知地は、今、何を考えているんでしょうかね？」

亀井は、首をかしげた。

「直接、彼に会って、確めてみようじゃないか」

と、十津川は、いった。

「われわれに、会いますかね？」

「伊知地は、われわれに電話して来て、草津に来ている宗方を調べて貰いたいと、いったんだよ。宗方のことを聞きたいといえば、会いたくないとは、いえないさ」

と、十津川は、いった。

二人は、伊知地の泊っているホテルに行き、フロントで、彼に、会いたい旨を連絡して貰った。

十津川の予想した通り、伊知地は、すぐ、ロビーに降りて来た。

伊知地は、戸倉上山田温泉で会った時よりも、少し疲れているように見えた。それでも、十津川と亀井の顔を見ると、笑顔になって、

「やっぱり、来てくれましたね」

と、いった。

「犯人を逮捕するのが、われわれの仕事ですからね」

と、十津川は、いった。

「それなら、早く捕えて下さいよ。向うの笠木旅館に、犯人がいるじゃありませんか」

伊知地が、窓の外に眼をやって、いう。

「宗方のことをいってるのか？」

と、亀井が、きく。

「他に、容疑者がいますか？」

と、伊知地は、反論した。

十津川が、苦笑して、

「他に容疑者がいなければ、今頃、彼の事情聴取をしていますよ。だが、調べていくと、他にも、容疑者が、浮んで来たんです」

「誰ですか？　それは」

「小笠原という、元プロ棋士です。宗方八段の仲間だった男です」

と、十津川が、いうと、伊知地は、一瞬、表情を変えたが、すぐ、笑いを浮べて、

「刑事さんたちも、いろいろ、調べたんだ？」

「調べたよ。君が、宮城刑務所に、何回も、小笠原に面会に行ったこともね」

亀井が、睨《にら》むように、伊知地を、見すえて、いった。

「いいことです」

「何だって？」

「前から、全力をかけて、捜査してくれていたら、よかったんですよ。そうすれば、何人かの幼女は、助かったかも知れないんだ」

笑いを消した顔で、伊知地が、いった。

「われわれはね、宗方も怪しいが、小笠原も怪しいと、思っているんです。小笠原が、復讐

のために、宗方を、幼女殺しの犯人に仕立てあげようとしているんじゃないかとです」

十津川が、いうと、亀井も、

「それに、君が一枚嚙《か》んでいると、見ているんだ」

と、また、伊知地を睨んだ。

「復讐ですか？　何だか、大時代の発想ですね」

と、伊知地は、笑った。

十津川は、その言葉に、さすがに、むっとして、

「あなたが、五回、面会に行って、復讐しろと、小笠原を焚《た》きつけたことは、わかっているんです。三年前の事件の時も、あなたは、宗方が、犯人だという確信を持って、当時、勤めていた週刊オピニオンに、それを書こうとしている。なぜ、あなたが、宗方功を、犯人と決めつけるのか、その理由の方に、われわれは、興味があるんですよ」

「呆《あき》れたものだ」

と、伊知地は、肩をすくめた。

「何がいいたいんだ？」

亀井が、きく。

伊知地は、一瞬、はぐらかすように、

「のどが渇いたな。一緒に、コーヒーでも飲みませんか」

と、いい、十津川たちの返事も聞かずに、ウエイトレスを呼んで、コーヒーを三つ注文した。

コーヒーが、運ばれてくる。

十津川は、そのコーヒーには手をつけず、

「あなたは、小笠原の伝記を書きたいと、面会の理由を、いったそうですね？」

と、伊知地に、きいた。

「彼と、宗方二人のことを、書きたいと、思っています。ライバルであり、友人であり、同時に、仇《かたき》同士でもある二人のことをね」

と、伊知地は、いった。

「しかしねえ。あなたは、二人の中の一人、宗方を、なぜか、憎んでいるような気がして、仕方がない。われわれとしては、そのことの方が、興味があるんですがね」

十津川は、伊知地の表情を見ながら、いった。

「僕なんかに、興味を持ったって、仕方がないでしょう。興味を持ち、調べて欲しいのは、宗方功なんです」

と、伊知地は、いった。

「それなら、宗方のことで、われわれの知らないことを、知っているんなら、教えて下さい」

と、十津川は、いった。

「しかし、警察は、宗方のことを、調べられたんでしょう？」

「調べましたよ。だからこそ、同じプロ棋士仲間の小笠原のこともわかったし、あなたが、宮城刑務所に面会に行ったことも、わかったんですよ」

十津川が、いうと、伊知地は、苦笑して、

「だが、事件が起きてからだから、せいぜい、この半月足らずの間の捜査でしょう。僕は、十年以上も、調べて来たんです」

「だから、教えて下さいと、いってるんですよ」

と、十津川は、いった。

伊知地は、黙ってコーヒーを口に運んでから、

「一つだけ、教えてあげましょう」

「宗方のことですね？」

「彼が中学生のとき、母親と一緒に、上田市を捨てて、上京し、勉強して、奨励会に入り、プロ棋士に成長したことになっているでしょう？」

「違うんですか？」

「半分は本当だが、半分には、隠されたことがあるんですよ」

と、伊知地は、いった。

亀井が、その口ぶりに、いらだって、

「さっさと、話してくれないかね。父親の暴力と、バクチ好きに、愛想をつかして、母親が、宗方を連れて、郷里を捨てて、上京したんじゃないのかね」

「今までに分かっている宗方の経歴は、そうなっていますよ。嘘じゃないが、もう一つ、理由があったんです」

と、伊知地は、いった。

「どんな理由ですか？」

十津川が、きいた。

「上京したのは、宗方が、中学二年の時です」

「それで？」

「僕は、急な上京のかげに何があったのかと思って、必死に調べてみました。確かに、父親は、バクチ好きで、暴力を振るっていた。それは事実です。しかし、酒を呑まなければ暴力的にはならなかったし、家を出るにしても、子供が、義務教育を了《お》えてからにするのが、母親というものじゃないかと、思ったんです」

「早く、結論をいいたまえ」

と、亀井が、せかした。

伊知地は、わざと、亀井の声を無視して、十津川に向い、

「母子が、上京する少し前ですが、上田市内で、小学校一、二年の女の子が、続けて、二人、何者かに襲われる事件が、起きているんです。背後から、自転車で近づいて来た男が、いきなり、棒状のもので、女生徒を殴りつけて逃げるというもので、二人は、負傷したが、命に、別状はありませんでした。しかし、静かな上田市がパニックに落ちましてね」

「三年前の事件と、よく似てますね」

と、十津川は、いった。

「そうです。自転車で、走り去ったのは、百六十センチくらいのトレーニングウエアの男だということでした。そのトレーニングウエアが、現場近くの中学で、使っているものだということで、警察は、その中学校に、照準を合せて、捜査を進めていったわけです。警察の話では、容疑者を、数人の中学生に、しぼっていったとき、当時中学二年生だった宗方功が、突然、退学し、母親と一緒に、上京してしまったのです」

「つまり、その事件の犯人が、宗方功だったということですか？」

と、十津川は、きいた。

「証拠は、ありません。しかし、その時、警察が、マークした五人の中学生の中に、当時二年生だった宗方功の名前があったことは、間違いないんです。それに、彼が母親と、東京に去ったあと、小学校の女生徒が襲われるという事件は、終息してしまったんです」

と、伊知地は、いった。

「しかし、証拠は、ないんだろう？」

亀井が、咎《とが》めるような調子で、いった。こしゃくな感じがしたのだろう。

「そうです。だが、今もいったように、状況証拠は、限りなく、クロです」

「それなら、なぜ、県警は、最後まで、追及しなかったのかな？」

と、十津川は、いった。

「それは、多分、その年に、長野で国体があり、その開催日が、近づいていたことがあったと思います」

「国体がね――？」

と、伊知地が、いった。

「そうです。宗方母子が、上田市から逃げたのが、十月七日。十日から、国体が、始ったんです。県下の警察は、その警備のために、動員されて、連続幼女暴行事件の捜査は、自然に、立ち消えになってしまったんです。事件自体も、終息してしまいましたのでね。しかし、僕は、調べた結果、宗方少年が、犯人だと、確信したし、そのため、母子が、東京に逃げたんだと、信じていますよ」

と、伊知地は、いった。

「それで、三年前の連続幼女暴行事件の犯人も、宗方だと、確信したというわけですか？」

十津川は、いった。

伊知地は、大きく肯いて、

「その通りです。彼は、中学二年の時、母親と一緒に上京し、好きな将棋の世界に入り、それに、夢中になったことで、中二の時のことを忘れてしまったんです。恐しい性癖から、脱け出せたということでしょう。ところが、三年前、プロ棋士になってから、初めて大きな挫折が、彼を襲い、押さえつけられていた恐しい性癖が、また、顔を出したということでしょう。僕は、この事件は、昔、上田市で起きた事件と、全く同じではないか。犯人は、自転車から、バイクに変っただけなのだ。そう感じたので、宗方功を追いかけたんです。彼が、中学二年の時、上田市で起きた事件から、週刊オピニオンに、連載で、書いておこうと思ったんです。ところが、編集長が、臆病で、ケンカになりましてね」

「それで、週刊オピニオンを、辞めることになったわけですか」

「早くいえば、馘《くび》になったんですよ。あの時、僕の記事を、のせてくれていれば、東京と戸倉上山田温泉の連続幼女殺人は、防げたと、僕は、思っていますよ。三年の間に、宗方の暗い意識は、エスカレートしていったんです。その前に、押さえられたんです。宗方自身にとっても、その方が、幸福だったと思いますがね」

伊知地は、眉を寄せて見せた。

十津川は、煙草に火をつけて、伊知地を見た。

「私たちは、そうは、考えないのですよ」

「他に、何が、考えられるんですか？」

と、伊知地が、むっとした顔で、きく。

「宗方は、柴田名人との大事な名人戦のために、戸倉上山田温泉に来ていたんですよ。プロ棋士は、名人になるために、日々努力し、勉強しているといってもいい。しかも、宗方は、この一局に勝てば、名人位に一歩近づくことが出来た。素晴しい栄光が、待ち受けているんです。そんな時、昔の暗い意識が、頭をもたげてくるとは、とても、思えないのですよ」

と、十津川は、いった。

「だが、宗方は、信じられないような悪手を指して、第一局に負けてしまったんです。多分、とてつもない大きな挫折感、敗北意識、自分に対する怒りなどが、一度に押し寄せて、宗方は、忘れていた犯罪に、また、のめり込んだんだと、僕は、思っていますがね」

伊知地が、負けずに、いい返した。

「しかし、宗方には、芸者ぼたんがついていた筈ですよ。若くて、美人で、宗方は、芸者ぼたんを気に入っていた。そんな状況で、幼女にいたずらし、殺してしまうようなことをするとは、とても、思えないのですよ」

と、十津川は、いった。

伊知地は、首を小さく横に振って、

「その芸者ぼたんは、突然、いなくなって、宗方は、より強い、いらだちと、追い詰められすことで、幼女を襲い、幼女を殺すことで、すっきりしていった気持になっていったと思いますよ。その捌《は》け口《ぐち》として、幼女を襲い、幼女を殺すことで、すっきりしていたんだと思いますがね」

「芸者ぼたんは、誘拐、監禁されたんですよ。忘れたんですか？」

と、十津川は、いった。

「知っていますよ」

「犯人が、宗方功の筈がない。あの時、芸者ぼたんを一番必要としているのは、宗方だった筈ですからね。となると、彼女を、宗方から引き離したかった人間が、犯人ということになって来ます」

十津川は、じっと、伊知地を見つめて、いった。

「誰なんですか？　僕には、全く、わかりませんがね」

と、伊知地が、いい返した。

「もちろん、あなたのことを、いっているんですよ」

と、十津川が、いい、亀井が、語気を強めて、

「君が、戸倉上山田温泉で泊っていた旅館の部屋を調べたんだ。君は、トイレが詰っているのに気付かずに、チェック・アウトしてしまったが、君が、ハンカチを、トイレで流そうとしたので、詰ってしまったんだよ。そのハンカチにはクロロホルムが、染《し》み込《こ》んでいたんだ。芸者ぼたんを誘拐、監禁するのに使ったクロロホルムがだよ」

と、いった。

一瞬、伊知地の表情が、険しくなった。が、すぐ、わざとらしい笑顔になって、

「僕の知らないことですよ。第一、そのハンカチが、僕のものだという証拠は、ないんでしょう？」

「それはないが、君以外の誰が、そんなことをするんだ？　君のあとで、他の客が入ってない時点で、調べたんだぞ」

亀井が、睨むように、伊知地を見すえた。

「仲居や、部屋係の男がいますよ。客が、チェック・アウトしたあと、部屋の片付けや、掃除しに来るじゃありませんか。その連中が、クロロホルムの染み込んだハンカチを、トイレで、流そうとしたんじゃありませんかね」

伊知地が、落着いて、いう。

「仲居なんかが、なぜ、そんなことをするんだ？」

亀井が、大声を出した。

「そんなことは知りませんよ。それぞれに、事情はあるだろうし、後暗いことがあるんでしょうからね」

と、伊知地。

亀井が、また、怒鳴ろうとするのを、十津川は、手で制して、伊知地に向い、

「われわれは、芸者ぼたんの誘拐、監禁について、次のように推理している。それを、一応、あなたに話して、おきたいんだ」

「なぜ、そんなことを話すんですか？」

「あなただって、知りたいでしょう？　警察に、しきりに、宗方を捕えさせたがっているじゃありませんか」

「犯人だから、捕えてくれと、いってるだけですよ」

「それで、芸者ぼたんの件だが、あなたが、宗方を追い込むために、クロロホルムで眠らせ、廃屋の中に監禁したものと思っています」

と、十津川は、いった。

「それなら、何故、僕を逮捕しないんですか？」

伊知地は、挑戦的な眼になった。

十津川は、笑って、

「それは、あなたが、今、いったように、状況証拠は、あるが、決定的な直接証拠がないからです。だが、犯人は、あなただと、確信しています。そうしておいて、小笠原が、戸倉上山田で、幼女殺人を起こして、それを、あたかも、宗方の犯行のように見せかけた。彼と同じ、シルバーメタリックのベンツを、使用してね」

「なぜ、そこに、小笠原が、出てくるんですか？」

「もちろん、彼が、犯人だからですよ」

「それも、証拠なしですか？」

と、伊知地が、皮肉な眼をした。

十津川は、そんな相手の言葉を、無視して、

「小笠原は、戸倉上山田から離れた場所に、宗方と、同じベンツを駐《と》めておいて、宗方のアリバイがない時を狙って、戸倉上山田に来て、幼女殺人を行ったんです。それも、宗方が、自分のベンツを、昼食のあと、電柱にぶつけて、左のフェンダーを傷つけたと知ると、小笠原も、自分のベンツを、城山《じょうやま》史跡公園近くで、電柱にこすって、左フェンダーに、傷をつくるという、念の入れようを、見せたわけです。警察を、欺《だま》すためにね」

と、いった。

「おかしいじゃありませんか」

と、伊知地が、いう。

「何がですか？」

十津川は、惚《とぼ》けて、きいた。

「小笠原は、戸倉上山田から離れた場所にいたわけでしょう？」

「そうです。戸倉上山田は、小さな街です。そんな場所に、同じ色のベンツが二台もあれば、目立つし、誰かに、目撃されている筈です。それがないのだから、小笠原のベンツは、

離れた場所に、駐められていたことになる。更埴《こうしょく》インターを使えば、かなり離れた場所からでも、短時間で、戸倉上山田に来られますからね」

「遠くにいた小笠原が、どうして、戸倉上山田の宗方の行動に合せて、自分のベンツを動かせるんですか？　おかしいじゃありませんか」

と、伊知地は、いった。

「その通りです。だから、最初、われわれは、シルバーメタリックのベンツは、一台だけで、従って、犯人は、宗方功だと考えましたよ。しかし、戸倉上山田の街に、共犯者というか、そういう人物がいれば、小笠原の犯行も可能じゃないかと思ったんです」

「共犯？」

「そうです。その人間が、絶えず、宗方の動きを監視していて、携帯電話で、小笠原に知らせていたとすれば、離れていても、小笠原は、宗方を、犯人に仕立てるために、素早く動けるわけです」

と、十津川は、微笑した。

「まるで、僕が、その共犯者みたいないい方に聞こえますが」

「共犯という言葉が、刺戟的すぎるなら、協力者といってもいいですよ。戸倉上山田温泉で、小笠原が知っている人間といえば、あなたしかいない筈です。だから、協力者は、あなたということになって来ます。とにかく、あなたは、ぴったりと宗方に張りついて、彼を監視しているから、誰よりも、彼の動きを、知っていたわけですよ」

と、十津川は、いった。

「また、証拠もなしの確信ですか？　よく、そんなことで、刑事が勤まりますねえ。そんなことで、逮捕したって、公判は、維持できませんよ」

と、伊知地は、笑った。

十津川も、笑って、

「別に、あなたや、小笠原を、今、逮捕するとは、いっていませんよ」

「じゃあ、何をしに、来られたんですか？」

伊知地は、窺《うかが》うように、十津川を見、黙っている亀井を見た。

「まあ、あなたの顔を見に来たといったらいいですかね」

「顔を見に？　戸倉上山田温泉の幼女殺人事件が、解決していないのに、呑気なものですね。それとも、あれは、長野県警の仕事だから、関係ないというわけですか？」

「とんでもない。東京でも、幼女殺人は、起きているし、われわれは、同じ犯人と思っていますから、関係ないなんて思っていませんよ」

「犯人は、どれも、宗方功ですよ。彼を逮捕すれば、一挙に解決じゃありませんか。左フェンダーが傷ついたシルバーメタリックのベンツ。それは、目撃者の証言もある」

と、伊知地は、いった。

「宗方功によく似た男。彼の車と同じベンツですか」

「そうですよ」

「そっくりじゃありませんか」

「何がですか？」

「十四年前の熱海の殺人事件とですよ。あの時、容疑者は、小笠原だった。ベンツの代りに、国産のスポーツカー、そして、小笠原によく似た男の目撃。小笠原のアリバイがなく、警察は、小笠原を逮捕し、有罪判決を下し、刑務所に放り込んだんですよ。それと、そっくりとは、思いませんか？」

と、十津川は、いった。

伊知地は、黙ってしまった。

亀井が、意地悪く、

「十四年前の事件を、君は、どう思ってるんだ？　小笠原は、無実だと思っているんじゃないか？　あれは、警察のミスだと思っているんじゃないのか？」

と、きいた。

「小笠原は、無実ですよ」

「しかし、目撃者もいるし、彼の車と同じ、白のスポーツカーが、殺人現場の別荘の前に、とまっていたんだよ」

「そうかも知れませんが、小笠原は、無実です。警察の誤認逮捕です」

と、伊知地は、いった。

「面白いね。それなのに、今回は、宗方が、犯人だから、逮捕しろという。誤認逮捕の危険は考えないんですか？」

と、十津川は、いった。

「宗方は、犯人に間違いないんです」

「状況証拠しかないのに？」

「それでも、宗方は、犯人です」

と、伊知地は、繰り返した。

5

十津川と、亀井は、外に出た。

「少し、やっつけ過ぎましたかね？　これで、首を引っ込められたら、困りますが」

と、歩きながら、亀井が、いった。

「それは、大丈夫だよ」

十津川は、落ち着いた声で、いった。

「伊知地は、止《や》めませんか？」

「ああ。なぜか、あの男は、憑《つ》かれたように、宗方を殺人犯にしようとしているんだ。急に、止めるとは、思えないよ」

と、十津川は、いった。

「あの執念は、何なんですかね？」

亀井が、首をひねった。

「わからないが、とにかく、伊知地は、十四年前の事件を、調べることから、コミットして来て、その三年後に、服役中の小笠原に面会した。この辺りから、彼は、なぜか、宗方功に対して、憎しみを持ち、小笠原を助けて、宗方を、殺人犯に、仕立てようと、やっきになっている。あの執念というか、狂気というかは、われわれが、脅したぐらいで、止むものとは、思えないね」

と、十津川は、いった。

亀井は、足を止め、宗方と、芸者ぼたんの泊っている旅館に、眼をやった。

「宗方は、今も、芸者と一緒でしょう。伊知地と、小笠原は、どうやって、宗方を、幼女殺人犯に、仕立てるんですかね？　また、芸者のぼたんを、誘拐して、宗方を、孤立させようと考えているんでしょうか？」

「同じ真似は、しないだろう。こっちだって用心しているからね。二度と、誘拐、監禁なんかさせないよ」

十津川は、厳しい表情で、いった。

「すると、何もないままに、宗方は、明日、東京に、帰ってしまうんでしょうか？」

「いや、伊知地は、なぜか、いら立ち、やたらに、急いでいる気がするんだよ。だから、この草津で、何かやると、私は、思っている」

と、十津川は、いった。

しかし、何をやるか、十津川にも、判断がつかなかった。

伊知地は、ここにいるが、小笠原は、今、何処にいるのか？

長野原《ながのはら》なら、ここから、十キロしか離れていない。車で、十五、六分で、来てしまうだろう。

或いは、川原湯《かわらゆ》温泉あたりで、伊知地からの連絡を、待っているのではないか。

しかし、何も起きないままに、昼になり、宗方と、芸者ぼたんは、昼食をとるために、旅館の外には、出て来なかった。

どうやら、旅館の中で、すませるらしい。それだけ、二人とも、用心しているということなのだろう。

（このまま、草津では、何も起きないのだろうか？）

十津川は、自信がなくなってきた。

第六章　最後の賭け

1

草津に、夜がやって来た。
珍しく、暖かい夜で、そのために、周囲の山間《やまあい》に、白い霧が、出てきた。
十津川と、亀井は、眠れないままに、窓から、宗方の泊っている旅館に、眼をやってい
た。
かすかに、人の騒ぐ声が聞こえてくる。泊り客が、芸者でも呼んで、騒いでいるのか、カ
ラオケでもやっているのだろう。
「このまま、朝を迎えて、宗方は、あの旅館をチェック・アウトし、東京に帰ってしまうん
ですかね？」
亀井が、窓の外を見たまま、きいた。

「意外だが、そうなりそうだね」

「東京で、伊知地と小笠原は、事件を起こすつもりになっているかも知れませんね。宗方も、芸者ぼたんも、旅館から出て来ないのでは、罠に落とすにも何も、手を出すことが、出来ないでしょうからね」

「そうだな」

十津川も、肯いた。

事件が起きなければ、平穏でいいわけだが、十津川は、それを喜べなかった。

この草津で、伊知地と、小笠原が、宗方を罠にはめようとして、事件を起こしたら、今度こそ、いっきに、真相に迫り、今までの事件を解決してやろうと、身構えていたからである。

亀井が、テレビをつけた。

群馬テレビのニュースが、入る。だが、事件の報道はなかった。この草津温泉でも、事件らしい事件は、起きていないということなのだろう。

亀井が、階下《した》へ降りて行って、コーヒーポットと、カップ、それに、おにぎりを貰ってきた。

「どうせ、今夜も、眠れないだろうと、思いまして」

と、亀井は、笑いながら、いった。

コーヒーをいれて、飲む。

「今頃、小笠原と、伊知地は、何をしていますかね？」

と、亀井が、いう。

「いろいろしているかも知れないな。動かない宗方を、罠にはめるわけには、いかないからね」

と、十津川は、いった。

午前二時を廻った時刻に、急に、フロントから、十津川たちの部屋に電話が入った。

「今、群馬県警の刑事さんが見えて、十津川警部さんに、お話があるといっています」

と、いう。

十津川は、午前二時という時刻のために、不安に襲われ、亀井と、二人、フロントへ、降りて行った。

そこに、県警の刑事が二人いて、その一人が、

「県警の若杉《わかすぎ》です」

と、いってから、

「十津川警部は、宗方八段のことを、調べておられたんでしたね？」

と、きく。

十津川は、まさかと思いながら、

「彼が、どうかしたんですか？」

「ついさっき、県警が、殺人の重要参考人として、身柄を拘束《こうそく》しました」

と、若杉という中年の刑事が、いった。

「殺人は、幼女殺人ですか？」

「いえ。芸者殺しです」

「芸者？　ぼたんという芸者ですか？」

「そうです」

「今、宗方は、何処にいるんですか？」

「長野原警察署です」

「連れて行って下さい」

と、十津川は、いった。

十津川と、亀井は、県警のパトカーで、長野原警察署に向った。

深夜の草津道路を走りながら、若杉刑事が、事情を説明してくれた。

「午前一時十分頃、長野原消防署から、連絡が入ったんです。この草津道路の外れで、車の中から、救急車を呼んだ人間がいたんです。そこで救急車が、駈けつけたんですが、車の中に、首を絞められて死んでいる和服姿の女がいて、一一九番した男も、同じ車の中でふらふらしていた。救急隊員が、様子がおかしいと思って、警察に、知らせて来たわけです」

「その男が、宗方功だったんですね？」

十津川が、きいた。

「そうです。将棋好きの刑事がいて、すぐ、宗方八段だとわかりました」

「死んでいたのは、ぼたんという芸者ですね？」

「そうです。財布の中に、戸倉上山田温泉、ぼたんという名刺というのか、千社札《せんじゃふだ》みたいなものが入っていました」

「首を絞められて、死んでいたというのに、間違いありませんか？」

と、亀井が、きいた。

「県警の検死官が、絞殺と判断しました。殺されたのは、今日の午前零時から一時の間だろうと」

「宗方功は、何といっているんですか？」

と、十津川は、きいた。

「それが、どうも、信じられないような話なんです。草津温泉の笠木旅館に泊っていたが、急に東京に帰らなければならなくなったので、午前零時三十分頃、車で、出発した。草津道路を、長野原に向って走っていると、前方から来たトラックが、いきなり、車線をはみ出して、ぶつかりそうになったので、あわてて、ハンドルを切ったら、路肩から、落ちて、車が、横倒しになった。その拍子に、宗方は、気を失ってしまったというのです。気がつくと、車は、起こしてあったが、助手席の芸者ぼたんが、首を絞められて、死んでいた。それで、あわてて、救急車を、呼んだというんです」

「確かに、妙な話ではありますね」

と、十津川は、いった。

急に、パトカーが、とまった。

「ここです」

と、若杉がいい、十津川たちも、車を降りてみた。

懐中電灯で照らしながら、辺りを調べると、なるほど、路肩から、五十センチほど低い草むらに、車が落ちた痕跡がある。

「車は、シルバーメタリックのベンツですね?」

と、十津川が、確認するように、きいた。

「そうです」

「その車は、今、何処に?」

「長野原警察署に、運んであります」

「その車は、横転しては、いなかったんですね?」

「救急車が来たときは、この下に、普通に、とまっていたといっています」

「だが、宗方は、路肩から落ちて、横転したと、いっているんですね?」

「そうです。それで、頭を打ち、気を失ったと」
「気がついた時は、車は、引き起こされていたとも、いっているんですか？」
「そうです。相手のトラックの運転手が、降りて来て、引き起こしてくれたんじゃないか
と、いっていますが、その運転手が、助けておいて、女を殺すというのも、おかしな話だと
は、思いませんか」
と、若杉は、いった。
十津川たちは、パトカーに戻り、また、長野原に向って、出発した。

2

長野原警察署に着くと、宗方は、頭に怪我をしているので、近くの病院に運び、手当てを受けていると、松本《まつもと》という警部が、十津川に、話してくれた。

芸者ぼたんの遺体は、司法解剖のために、大学病院へ運ばれたとも、いった。

「どうも、宗方八段の話は、信じられなくて、困っているのです」

と、松本は、眉をひそめた。

「どんなところがですか？」

「横転した車が、いつの間にか、引き起こされていたとか、連れの芸者が殺されるのに気付

かなかったとかです」

「急用が出来たので、草津温泉から、夜中に、車で出発したというんですね？」

と、十津川は、きいた。

「そう証言しています」

「どんな用かは、いいましたか？」

「それをいわないのです。草津温泉の笠木旅館に、電話で問い合せたところ、宗方八段は、朝になってから、出発する予定だったが、急に、東京に帰らなければならなくなったといって、午前零時三十分頃、芸者と一緒に、車で、出発したということでした」

「だが、急用の内容は、話そうとしないんですね？」

「そうです」

と、松本警部は、肯いた。

「それで、ぶつかりそうになったトラックは、見つかったんですか？」

と、亀井が、きいた。

「今、聞き込みをやっていますが、何しろ、夜中のことですからね。まだ、見つかりません。夜が明けたら、もう一度、調べてみますが」

と、松本は、いった。どうも、宗方の話を信じていない感じだった。

十津川と、亀井は、宗方の入っている病院に廻ってみた。

三階の病室に、入っていて、廊下には、刑事が二人、椅子に腰をかけて、その病室を、ガードしている。

十津川と、亀井は、その刑事たちの了解を貰ってから、病室に入った。

二人部屋だが、片方のベッドは、空で、宗方だけが、ベッドに、横になっていた。

十津川たちを見て、ベッドに、起きあがったが、あからさまに、嫌な顔をした。

頭に包帯を巻いている。

「だいたいの事情は、県警の刑事に聞きましたよ」

と、十津川は、いった。

宗方は、十津川を睨むように見て、

「どうして、本庁の刑事さんが、こんなところに来てるんです？」

「いろいろ、事情があってね」

と、亀井が、いった。

「事情があってですか――」

宗方は、ふんという顔付きをした。

「トラックにぶつかりそうになったので、急ハンドルを切って、道路から落ちたということですね？」

と、十津川は、いった。

「どうせ、信じていないんでしょう？」

「なぜです？　私は、信じますよ」

と、十津川は、いった。

「それなら、放っといてくれませんか。彼女が死んだんで、ショックを受けているんだから」

宗方は、包帯を巻いた頭に、手をやった。まだ、痛むのだろう。

その時になって、彼の右頬に、傷があるのに気付いた。引っかき傷だった。

「なぜ、急に、帰京することにしたんですか？　それも、夜中に」

と、十津川は、きいた。

宗方は、不貞腐《ふてくさ》れたように、

「いつ帰ろうと、勝手じゃありませんか？　別に、何かの事件の犯人じゃないんだから」

「君は、疑われているんだよ」

と、亀井が、脅かすように、いった。

「なぜ、疑われているんですか？　何の事件で、疑われているんですか？」

宗方は、たたみかけるように、きいてから、また、頭を押さえた。

「わかっている筈だよ。東京と、戸倉上山田で起きた連続幼女殺人事件だよ」

「犯人は、僕じゃない」

「しかし、現場で、君のベンツは、目撃されているし、殺されかけた幼女がいう犯人の顔が、君によく似ているんだよ」

と、亀井は、いった。

「そんなこと、知りませんよ。とにかく、僕は、犯人じゃないんだ」

宗方は、大声を出した。

「小笠原真二という男を知っていますね？」

十津川は、話題を変えた。

宗方の顔が、一瞬、ゆがんで、

「知っていますよ。昔、一緒に将棋をやっていましたが、今、どうしているか、知りませんよ」

「十四年前、小笠原が、殺人容疑で逮捕され、服役したことも、知っているでしょう？」

と、十津川は、きいてみた。

「ええ。プロ棋士の仲間でしたからね」

「どう思いました？」

「もちろん、びっくりしましたよ。なぜ、人殺しをしたのか、信じられませんでした」

「それだけですか？」

と、十津川が、きくと、宗方は、険しい目つきをして、

「それ以上、何があるんですか？　ただただ、びっくりしたんです」

「小笠原は、宮城刑務所に、六年間入っていたんですが、その間、面会に、何回行きました？」

「行っていません」

「一度も？」

「ええ」

「小笠原真二とは、親友だったんでしょう？」

「そうだから、かえって行けなかったんです。僕の方は、ずっと、将棋をやっていて、彼は、好きな将棋が出来なくなってしまったわけですから。面会に行くのは、残酷な気がしたんです」

と、宗方は、いった。

「小笠原が殺した篠原という人を、あなたも、よく知っていたんじゃありませんか？」

「よくかどうかは、わかりませんが、将棋好きの人で、たいていの若手の棋士が、知っていましたよ」

と、宗方は、いう。

「小笠原真二は、ずっと、無実を、主張していたそうですよ」

「そうですか。僕には、何にもいえません」

「親友として、彼の無実を、信じる気にはなりませんでしたか？」

と、十津川は、わざと、きいた。

「もう、終ったことでしょう？　僕が、彼の無実を信じたって、どうすることも、出来ないじゃありませんか」

宗方は、怒ったような調子で、いった。

「彼が、今、何処で、何をしているか、知っていますか？」

「いや、知りません。僕は、もう、十年以上、彼とは、会っていないんです」

と、宗方は、いった。

亀井が、横から、

「君は、今、自分が、どんな状況に置かれているのか、わかっているかね？」

「――――」

「君は、今、芸者ぼたん殺しの重要参考人なんだ。退院次第、県警の訊問を受ける」

亀井が、いうと、宗方は、

「冗談じゃない。僕は、被害者だ。トラックに、道路の下に、転落させられ、気がついたら、ぼたんが、死んでいたんだ」

と、叫ぶように、いった。

「本当に、ぼたんさんが、殺されたのを、知らなかったんですか？」

十津川は、宗方の顔を見て、きいた。

「覚えている筈がないでしょう？　知っていれば、犯人を叩《たた》きのめしていますよ」

と、宗方は、いう。

「ぼたんさんは、戸倉上山田で、誘拐され、監禁されていた。そのことで、彼女は、何か、いっていませんでしたか？」

「何かって？」

「犯人についてですよ」

「それなら、いきなり、クロロホルムで、眠らされ、監禁中は、目かくしをされていたので、犯人の顔は、見ていないと、いっていましたよ」

と、宗方は、いった。

「君は、彼女が好きだったのか？」

亀井が、きいた。

宗方は、肯いて、

「嫌いならわざわざ、草津まで呼びませんよ」

「彼女の方は、どうなんだ？」

「彼女も、好きだといってくれていましたよ。だから、僕が殺す筈がないじゃありませんか」

また、宗方が、声を大きくした。

「彼女を車に乗せて、君は、東京まで連れて行く気だったのか？」

「彼女が、一緒に行きたいといったんだ。戸倉上山田温泉へは、帰りたくないというんで、一度、東京へ連れて行こうと思ったんだ」

「君は、今、名人戦の最中だろう。その第二局は、間もなく開始される。そんな大事な時に、芸者を、東京へ連れて行こうなんて、どういう気なんだ？」

亀井が、叱《しか》りつけるように、いった。

「僕は、ずっと、不安定な気分できているんです。僕は、名人戦に、全力を尽くしたいと思って、戸倉上山田温泉にやって来たのに、無言電話はかかるし、変な雑誌記者が、つきまとって、幼女殺人事件は、お前が犯人だろうと、叫ぶ。肝心の名人戦第一局は、僕が優勢で第一日が終ったら、その夜に、誰かが、エア・ガンで、名人を狙い、それも、僕のせいにされた。その上、あんたたち本庁の刑事までが、僕のまわりにうろついて、僕のことを調べ出した。こんな状況で、勝てるわけはないでしょう。二日目に、失着して、敗《ま》けてしまった。あの時は、自殺したいほど、自己嫌悪に落ちてしまった。僕の生きている目的は、名人になることなのに、肝心の時に、ミスしてしまったからですよ。あの時、唯一の救いだったのが、前に会ったことのある、ぼたんの優しさだったんです。彼女だけが、僕を勇気づけてくれました。それなのに、彼女は誘拐された。それだけじゃない。彼女がいなくなったのは、僕の責任みたいに書いた週刊誌まであったんです。そのあとは、戸倉上山田で、幼女殺人が、起きて、また、その容疑者扱いされたんですよ。車の傷だって、昼に、刀屋で、そばを食べ、その帰りに、電柱にぶつけたんだといっても、幼女殺しの犯人が、左フェンダーに傷のあるベンツを乗り廻しているといわれて。こんなことで、刑事さんのいうように、将棋のことだけを考えろといわれたって、出来る状況じゃないでしょう?」

宗方は、怒りを滲《にじ》ませて、亀井にいい、十津川に、いった。

十津川は、わかったというように、肯いてから、

「しかし、あなたには、いくつも、聞きたいことがある。十四年前の殺人事件のことだ」

と、いうと、宗方の表情は、また、固い、重いものになってしまった。

「僕には、関係がありませんよ。小笠原のやったことだ」

と、宗方は、いう。

「本当のことを、いってくれないと、私たちには、あなたを助けられないんだがな」

と、十津川は、いった。

だが、宗方は、貝のように、黙りこくってしまった。

3

十津川と、亀井は、長野原に、泊ることにした。宗方がどうなるかが、気になったし、ここで、調べたいことが、出来たからである。

ただ、ここは、県警の所轄《しょかつ》である。従って、部下の刑事たちがいても、仕方がないので、彼等は、帰京させ、十津川と、亀井だけが、残ることにした。

翌日の午後になって、宗方は、退院した。が、そのまま、長野原警察署に、勾留された。県警は、逮捕してはいないものの、芸者ぼたん殺しの重要参考人として、宗方のことを考えているのは、明らかだった。

長野原警察署で開かれた捜査会議には、十津川も、出席させて貰った。

出席しない亀井には、伊知地と、小笠原の二人を、探してくれるように、頼んでおいた。

多田《ただ》という県警本部長の下で開かれた会議では、捜査の指揮をとる松本警部が、まず、事件について、話した。

「現在、宗方功と、芸者ぼたんが乗っていたベンツについて、鑑識に調べて貰っています。最大の問題は、宗方が、トラックを避けたため、路肩から、転落して、横倒しになってしまったと、証言していることです。それで、頭を打ち、失神してしまったとも、いっています。それが、事実なら、宗方は、芸者ぼたんを殺した犯人ではありません。しかし、救急車が駈けつけた時、車は、横倒しには、なっていませんでした」

「それについて、宗方本人は、何といっているんだ？」

と、多田本部長が、きく。

「自分が、失神している間に、誰かが、引き起こしてくれたのだろう。例えば、ぶつかりかけたトラックの運転手や、助手がです」

と、松本は、いった。

「その証言は、信用できるのかね？」

「現場は、柔らかい草むらになっています。もし、宗方の話が本当なら、横倒しになったとき、車の左側面には、泥と、草が、付着している筈で、鑑識が、それを、調べました」

「結果は、どうだったんだ？」

「今までのところ、泥や、草の付着は、認められません」

と、松本は、いった。

黒板には、車の写真が、何枚も、貼り出されている。その中には、車の左側面の写真もあった。確かに、きれいだった。写真で見る限り、泥や草の付着している形跡はない。

「宗方が、嘘をついているとなると、どういうことが、考えられるのかね？」

と、多田が、きいた。

「一つの可能性として、こういうことが、考えられます。芸者ぼたんを連れて、東京へ帰る途中、車の中で、ケンカになった。彼女が、暴れたのかも知れません。そこで、宗方は、ハンドル操作を誤り、道路から、外れてしまった。そこで、ケンカが、もっと激しくなり、カッとした宗方が、彼女の首を絞めて殺してしまった。しかし、逃げても、捕ってしまう。なぜなら、草津の旅館を、芸者ぼたんと、一緒に、車で出発したことは、わかっているからです。そこで、彼は、一つの物語を作って、一一九番したという可能性です」

「宗方は、車線を越えて来たトラックを、避けようとして、路肩から落ちて、横転したといっているんだろう？」

と、多田が、きく。

「そうです」

「それなら、そのトラックが、見つかれば、文句はないわけだ」

「それで、昨日から、今日にかけて、草津道路での聞き込みをやっているのですが、まだ、該当するトラックは、見つかっておりません。何しろ、事件が起きた時が、午前一時前後なので、目撃者を見つけるのも難しいということがあります」

と、松本は、いった。

「もう一つ、疑問だと思うのは、宗方が、草津の旅館を出発した時刻なんだが、なぜ、夜中に、出発したのかね？」

多田本部長が、きいた。

松本は、その疑問に対して、

「宗方本人は、東京に、急用が出来たからだと、いっていますが、その急用の内容については、口をつぐんでいます。また、この件についてですが、今朝、九時頃、電話が入りました」

と、いった。

「何処からだ？」

「相手は、名前をいいません。男の声でした」

「密告電話か」

「しかし、信用できる気がしています」

「どんなことを、いってるんだ？」

多田本部長が、興味を持った顔で、きいた。

「宗方は、戸倉上山田で、幼女殺人の嫌疑をかけられていた。それで、いよいよ、長野県警が、事情聴取に踏み切るらしいと知って、あわてて、女を連れて、逃げ出したんだというわけです」

「長野県警には、確認してみたのか？」

と、多田本部長が、きいた。

「電話してみました。向うの県警の話では、確かに、戸倉上山田で、幼女殺害事件が、起きており、宗方功は、重要参考人だったと、いっています。ただ、名人戦を戦っている有名人なので、証拠がために全力をあげていた。そう話しています」

「重要参考人か」

と、松本は、いった。

「そうです。宗方本人も、当然、自分が、マークされているのは、知っていた筈です」

「それで、草津へ逃げ、今度は、東京へ逃げたというわけかね？」

「そうだと思います。想像すると、そんなに逃げ廻る宗方に、嫌気がさして、芸者ぼたんが、怒り、ケンカになったのかも知れません」

「すると、密告電話は、嘘じゃないということか？」

「信用できると思います」

と、松本は、いった。

十津川は、聞いていて、

(伊知地だ)

と、直感した。

他には、考えられない。あの男が、執拗《しつよう》に、宗方を、追いつめようとしているのだ。

そんな十津川の思いとは、関係なく、捜査会議は、進行していった。

「それで、宗方が、芸者ぼたんを殺したという証拠は、出て来たのかね？　状況証拠がある
ことは、確かだが」

と、多田本部長が、いった。

「彼女の右手、人差指と、中指の爪の中に、人間の肉片が、入っていたことが、わかってい
ます」

「つまり、被害者が抵抗した痕《あと》ということだな？」

「そうだと思います。宗方の顔ですが、右頬に、引っかかれた痕があります」

と、松本は、いった。

「それは、照合したのか？」

「現在、ぼたんの爪にあった肉片について、血液型を調べています。間もなく、判ると、思
っています」

「宗方の血液型は、わかっているのかね？」

「日本将棋連盟に問い合せて、B型と、わかっています」

と、松本は、いった。

捜査会議が、終りに近づいた時、松本の待っていた報告が、届いた。芸者ぼたんの司法解
剖をした大学病院からだった。

それを受けて、松本警部が、勝ち誇ったように、多田に、報告した。

「被害者の爪にあった肉片は、B型の人間のものだとわかりました」

「これで、宗方功が、犯人だという可能性が強くなったな」

「逮捕状を、請求して頂きたいと思います」

と、松本警部は、いった。

4

多田本部長は、最後に、十津川に向って、

「何か、意見があったら、いって下さい」

と、声をかけてきたが、十津川は、何もいわなかった。

賛成するにしても、反対するにしても、十津川には、資料と呼べるものが、なかったからである。

旅館に帰ると、亀井が、先に帰っていて、

「伊知地は、もう草津にはいませんね。彼が泊っていた旅館の話では、今日の午前十時に、チェック・アウトしたといっています」

と、いった。

「小笠原真二については、どうだった？」

「見つかりません」

と、亀井は、いった。

「群馬県警は、宗方功を、逮捕するよ。芸者ぼたんを殺した容疑でね」

と、十津川はいった。

「伊知地の望み通りになったわけですね。幼女殺し容疑ではないが、殺人容疑に変りはありません」

「小笠原真二の望み通りかも知れないよ」

と、十津川は、いった。

「何か、執念みたいなものを、感じますね」

亀井が、いった。

「その通りだよ。執念だよ」

「小笠原の執念は、わかりますね。十四年前、われわれの推理が正しければ、彼は、宗方によって、熱海の別荘で、後援者の篠原を殺した犯人に仕立てられた。その復讐を考え続けてきたわけですからね。ただ、伊知地の執念が、わかりません」

と、亀井が、いう。

「私にも、わからないよ。彼は、週刊誌記者として、あの事件に興味を持ち、犯人の小笠原にも興味を持ったから、面会に行ったと、いっている」

「しかし、面会に行ったのは、小笠原が、刑務所に入った三年後ですよ。もう、三年前の事件のことなんか忘れている時です」

と、亀井は、いう。

「私も、それが、不思議なんだ。あの時、伊知地は週刊オピニオンに入社したばかりだった筈だね？」

「そうです」

「カメさん。すぐ、東京へ帰ろう」

「え？」

「とにかく、帰るよ」

と、十津川は、いった。

5

二人は、その日の中《うち》に、帰京し、捜査本部に、直行した。

まず、三上部長に、事件の経緯を説明した。

「群馬県警は、芸者ぼたんを殺した容疑で、宗方功を、逮捕します」

「将棋界は、大さわぎになるな。名人戦の最中なんだから」

と、三上は、難しい顔で、いった。

「しかし、宗方は、無実です」

「それを、証明できるのか？」

「したいと思っています」

と、十津川は、いった。

「真犯人は、小笠原真二か？」

「その筈です。それに、伊知地が、協力者です。これは、わかっていますが、今のところ、証拠がないのです」

と、十津川は、いった。

翌日、群馬県警が、宗方功を、殺人容疑で逮捕した。

それが、発表されると、思った通り、大さわぎになった。日本将棋連盟は、間近かに迫っていた名人戦第二局を、急遽《きゆうきよ》、中止すると、発表した。

多分、東京と、戸倉上山田で、連続して起きた幼女殺人事件についても、宗方の容疑が取り沙汰されるようになるだろう。

十津川と、亀井は、そうした報道を尻目に、伊知地の過去を、追うことにした。

彼が、週刊オピニオンに入社した頃のこと、なぜ、急に、小笠原真二に興味を持ったか、その理由といったことである。

調べていく中に、「将棋日本」に、次の記事が、当時、のっていたのを、発見した。

この雑誌の主催で、「新入社員将棋大会」が、行われていた。

東日本の有名企業の新入社員の中で、将棋好きを集めて、戦わせ、優勝者を、当時、若手の有望棋士といわれた宗方功と対局させるという企画である。

週刊オピニオン社からは、前年に入社した伊知地が、参加し、見事優勝し、宗方功と、対局している。

その棋譜も、雑誌に、のっていた。

「これを、宗方は、覚えていないんですね」

と、亀井は、雑誌を見ながら、いった。

「何しろ、十二年前だし、若手の棋士として、企業の社長や、タレントなんかと、ずいぶん、対局していると思うよ。その中の一人じゃあ、覚えてなくても、無理はないと思うよ」

「しかし、何か、あったんじゃありませんかね？　そのあと、すぐ、伊知地は、小笠原に、面会に行っていますから」

と、亀井は、いった。

「将棋日本」の記事によると、この対局は、伊東の「なぎさ旅館」で、行われている。

〈二年前の名人戦に使われた将棋盤と駒が、使用された〉

と、書いてある。

十津川と、亀井は、雑誌を持って、伊東の「なぎさ旅館」に、行ってみた。

海岸近くの和風旅館で、幸い、部屋数が少かった。これなら、古いことでも、覚えていてくれるのではないか。

今年、還暦を迎えたという女将《おかみ》に会って、雑誌を見せた。

雑誌のグラビアに、この旅館の一室で対局している宗方と、伊知地の写真がのっている。

女将は、微笑して、

「よく覚えていますよ」

「十二年も前の対局なのに、よく覚えていますね」

と、十津川が、不審がると、

「このあと、大さわぎでしたから」

と、女将は、いう。

「この二人が、ケンカでも、したんですか？」

「いえ。そうじゃなくて、若い女の人が、宗方さんを訪ねて来たんです」

「どんな女性ですか？」

「名前は、忘れましたけど、宗方さんに会いたいといって、訪ねて見えたんですよ。今、宗方さんは、対局中だといっても、聞かないで、あがって来ましてね。丁度、対局を了《おわ》った宗方さんに向って、大声で、食ってかかったんですよ」

「どんな理由でですか？」

「ただ、兄さんを助けて下さい。真犯人は、あんたなんでしょうって、いいましてね」

「それで？」

「宗方さんに、すがりついて、すぐ、自首して下さいと、叫んでいましたよ」

「宗方功は、どうしました？」

「僕は関係ない。無関係だといってましたね。女の人が、帰ってから、彼女、頭が変なんだって、いってらっしゃいましたけど」

と、女将は、いった。

「その時、対局した相手の男は、どうしていたか覚えていますか？」

亀井が、きくと、女将は、急に、自信のない顔になって、

「対局が終った直後だから、その場に、いらっしゃったと思うんですけど、覚えていないんですよ。申しわけありません」

と、いった。

「兄さんを助けて下さいと、いったんですね？」

十津川は、念を押した。

「ええ。間違いありませんよ。兄さんといったんです。きれいな娘さんだから、お兄さんも、きっと、美男子だろうなって、思いましたから」

と、女将は、いった。

「他に、何か覚えていることは、ありませんか？」

と、十津川が、きくと、女将は、

「何しろ、十二年も前のことですからねえ」

と、いった。

それでも、十津川は、彼女に、礼をいって、旅館を出た。

「妹ですか」

と、亀井が、呟《つぶ》やく。

「小笠原真二に、妹がいたかな？」

「わかりませんが、ちょっと、聞いていませんね」

と、亀井は、いった。

「調べてみよう」

と、十津川は、いった。

とんぼ返りで、帰京すると、十津川は、西本たちを集合させ、小笠原真二の家族について、調べさせることにした。

この作業そのものは、難しいものではなかった。小笠原の郷里が何処かは、わかっていたからである。

その郷里は、山形県の赤湯《あかゆ》温泉である。山形県警に依頼してもいいのだが、ここが大事と考え、西本と、日下の二人を、すぐ、出発させた。

東京駅へ急行し、山形新幹線に、飛び乗る。東京二〇時二〇分発の、つばさ155号に乗れた。

赤湯に着いたのは、二三時四六分である。

赤湯温泉は、南陽《なんよう》市になる。駅前の派出所で、住所をいい、そこへ、案内して貰った。

赤湯温泉の中にある小さな料理屋が、小笠原の両親の家だった。

五十七歳の母親が、ひとりで、店をやり、あまり丈夫でない父親は、料理を作っているという店だった。

客がなくて、店を閉めようとしているところだった。

西本と日下は、カウンターに腰を下し、両親から、話を聞いた。

母親が、兄と妹の写真を持ち出して来て、二人の刑事に見せた。

「これは、真二が、四段になった時で、妹のかおりは、東京の短大に入った時です」

と、母親は、いった。

この二人の他に、長男がいたのだが、中学二年の時に、病死しているという。

「今、真二さんは、何処にいるか、わかりませんか？」

と、西本が、きくと、母親は、小さく、首を横に振って、

「全くわかりません。宮城刑務所を出た時に、電話して来たんですけど、それ以外は、何の連絡もないんです。生きているのか、死んでいるのか——」

「妹のかおりさんの方は、どうですか？」

と、きくと、母親は、

「あれは、亡くなりました」

「いつですか？」

「今から、十一年前の三月でした」

と、母親がいい、父親も、ぼそっと、

「三月二十七日」

と、いった。

「病死か何かですか？」

西本が、きくと、両親は、顔を見合せて、黙ってしまった。

「事故ですか？」

と、きいても、黙っている。

日下が、考えて、

「自殺——したんですか？」

と、きいた。母親が、肯く。

「自殺の理由は、何ですか？」

「——」

「お兄さんの真二さんのことが、原因ですか？」

「ええ」

と、母親が、小声で肯く。

「確か、かおりさんは、その前年、伊東の旅館に押しかけて行って、宗方功、今の宗方八段に、食ってかかっているんです。兄さんは、犯人じゃない。あなたが、犯人だといって。ご存知でしたか？」

西本が、きくと、母親は、

「知っていますよ」

と、いった。

「なぜ、知っているんですか？　かおりさんから連絡があったんですか？」

「手紙が、来ました」

と、母親は、いい、何通かの手紙を、持ち出して来た。

その中の一通は、次の文章になっていた。

〈父さん、母さん。

今日、伊東へ行き、宗方さんに、会って来ました。宗方さんは、兄さんと同じ若いプロ棋士で、年齢も同じだし、何よりも、顔が良く似ていて、雑誌でも、双子みたいだと、書かれていた人よ。兄さんは、人殺しなんかしていない。でも、犯人を目撃している人は、兄さんに似ていたといっている。それに、殺された、社長さんは、用心深くて、知らない人を、別荘に入れたりしない。だから、兄さんが、犯人にされて、刑務所に入れられたのよ。

でも、宗方さんなら、兄さんに顔が似ているし、将棋好きの社長さんが、安心して、別荘に招じ入れる筈だわ。

私は、兄さんのために、宗方さんのことを、ずっと調べていって、真犯人がいるなら、彼しか考えられないと、思った。

それで、今日、宗方さんに会って、問い詰めたの。彼は、顔色を変えたわ。それで、私は、ますます、宗方功さんが、真犯人だと、確信しているの。

動機も、想像がつくわ。兄さんと、宗方さんは、同じ四段で、ライバルなの。少し、兄さんが、リードしていたし、素敵な後援者がついたのよ。宗方さんは、きっと、兄さんに、強い嫉妬心を抱いて、それで、兄さんを、罠にはめたに違いないと、思っているわ。今にきっと、真相を明らかにして、兄さんの無実を証明して見せるから、父さんも、母さんも、安心していて。

かおり〉

それから、三日後に、かおりは、こんな手紙を、両親に、寄越している。


〈父さん、母さん。

私に、素敵な味方が出来たんです。その人は、有名な週刊オピニオンの新人記者さんで、先日の私と、宗方さんとの話を聞いていて、私に、関心を持ってくれたんです。

私は、兄が、無実なこと、真犯人は、宗方さんに、違いないことを、彼に話しました。

それを、彼は、いちいち、肯きながら、聞いていてくれたわ。

私一人では、いくら頑張っても、なかなか、兄さんを、刑務所から出すことは、出来ないけど、彼が、助けてくれれば、何とかなるような気がする。何といっても、週刊オピニオンの記者さんだから。

その中に、彼を、父さん、母さんに、紹介しようと思っているの。

彼の名前は、伊知地さん。覚えておいてね。

かおり〉

この手紙のあと、一ヵ月あまり、かおりから、手紙も来なかったし、電話もなかったと、両親は、いう。

前の、嬉しそうな手紙から、かおりが、伊知地という週刊誌の記者と一緒になって、兄の真二を助ける方法を考え、奔走しているのだとばかり、思っていたといった。

そして、一ヵ月過ぎて、届いた手紙を読んで、両親は、びっくりしてしまった。

〈父さん、母さん。
もうお終いです。
何とかして、兄さんを助けたかったのに、もう駄目です。
彼を、信頼していたのが、間違いでした。
彼は、本当は、兄さんのことなんかに、ぜんぜん、関心がなかったんです。
私に同情して見せたのは、私が、欲しかっただけなの。
私が、馬鹿だったんです。
身体からも、心からも、力が抜けてしまって生きていく元気が無くなってしまった。
父さん、母さん、ごめんなさい。
兄さん、ごめんなさい。

かおり〉

「この手紙を受け取って、どうされたんですか？」

と、西本は、きいた。

「とにかく、すぐ、電話したんだけど、誰も、出ないんです。それで、主人と一緒に、東京へ行って、娘のマンションを、訪ねてみました」

と、母親は、いった。

「それで？」

と、日下が、続けて、きいた。

「ドアが閉っていて、管理人さんに開けて貰ったんです。そしたら、娘は、もう部屋の中で死んでいました。手首を切って、ベッドが、血で、真っ赤に染まっていたんです」

母親の声が、かすれた。その時のことを、思い出したのだろう。

「かおりさんの手紙にある伊知地という男に、会いましたか？」

と、西本は、きいた。

「探して、娘のことを、いろいろ聞いてみたくて、週刊オピニオン社を、訪ねて行きましたよ」

と、父親が、いった。

「会ったんですか？」

「いや、会えなかった。二回、行ったんだが、二回とも、いないといわれましてね」

父親は、吐き捨てるように、いった。

「じゃあ、伊知地の顔も、知らないんですか？」

西本が、きくと、母親は、

「知っていますよ。娘の部屋に、彼の写真がありましたから」

と、いった。

「何枚もですか？」

「ええ。娘が、彼と二人で、嬉しそうに笑っている写真もありましたわ。真面目な娘《こ》だから、本当に、好きになっていたんだと、思います」

母親は、重い口調で、いった。

「その後、伊知地に、会われましたか？」

と、日下は、きいた。

「いいえ。でも、伊知地さんから、一度、手紙を頂きました」

と、母親は、いう。

「その手紙は、持っていますか？」

「ええ」

と、彼女は、肯き、その手紙も、見せてくれた。

〈かおりさんを死なせたのは、僕の責任です。その責任は、僕流に、取るつもりでおります。

伊知地〉

その手紙の日付は、かおりが、最後の手紙を寄越《よこ》した、更に、一ヵ月後だった。

6

西本と、日下は、四通の手紙を借りて、翌朝早く、帰京した。

十津川は、その手紙を読み、二人の刑事の話を聞いて、

「よくやってくれた」

と、その労をねぎらった。

手紙を、亀井にも見せた。

「伊知地が、なぜ、急に、小笠原に興味を持ち、宮城刑務所に面会に行ったか、その理由がわかった気がするね。それに、その後の彼の行動の謎もね」

と、十津川は、いった。

「償《つぐな》い——ですか？」

亀井は、ぼそっと、いった。

「伊知地流の償いだよ」

と、十津川は、いった。

「これから、どうしますか？」

「まず、伊知地に会おう」

と、十津川は、いった。

二人は、伊知地のマンションを訪ねた。ひょっとして、逃げているのではないかと思ったが、彼は、部屋にいて、十津川たちを迎えた。

「群馬県警が、殺人容疑で、宗方功を逮捕したのは、当然、もう、知っているでしょうね？」

と、十津川は、きいた。

「知っていますよ。もちろん」

と、伊知地は、微笑した。

「嬉《うれ》しいか？　満足か？」

亀井が、きく。

「ええ。満足してますよ」

「これで、あなたの償いが、果たされたことになる」

と、十津川が、いうと、伊知地の表情が険しくなって、

「償い？　何のことですか？」

「小笠原真二の妹のかおりのことですよ。彼女が、自殺したことへの償い」

「――――」

「山形の両親に会って、この手紙を受け取って来たんです」

十津川は、持参した四通の手紙を、伊知地の前に、置いた。

伊知地が、手を出さずにいると、十津川は、

「手に取って、読んで下さい」

と、いった。

それに促されるように、伊知地は、手紙を拾い、順々に、眼を通していった。

自分の手紙は覚えているだろうが、かおりが両親に当てた三通は、初めて見る筈である。

伊知地の顔が、自然に、ゆがんでいった。

「僕に、どうしろというんです？」

と、伊知地が、きく。

「全てについて、真実が、知りたい。嘘は、嫌いなんだ」

十津川は、伊知地の顔を、まっすぐに見つめて、いった。

「僕だって、同じですよ」

と、伊知地は、いう。

「本当に、そう考えているとは、思えないね。君は、自分さえよければ、いいと、考えている人間だ」

十津川が、決めつけると、伊知地は、顔を赤くして、

「それは、心外だ。僕は、正義のために、自分を傷つけてもいいと思って、行動した。全て、正義のためだ。それを、自分勝手と、いわれたんでは、我慢がならない。僕は、そのために、週刊オピニオンも辞め、次の雑誌社も、辞めたんだ」

「立派なことだ。正義のために、芸者も誘拐し、監禁したのか」

「皮肉は、やめて下さい」

と、伊知地は、叫んだ。

「君は、今から、十二年前に、伊東で、当時四段だった宗方功と対局したとき、小笠原真二の妹のかおりと、会った。その手紙からすると、君は、同情するふりをして、彼女に近づいた。その時は、正義のためなんてことは、考えてなかったんだろう？　どうなんだ？」

十津川が、いうと、伊知地は、一瞬、眼をそらして、

「あの頃は、もっと大きな問題に関心があったんだ。二十一世紀の日本とか、教育問題とか

――」

「なるほどね。君は、ただ、小笠原かおりを、何とかしようという下心で、彼女の兄の事件に、関心のあるふりをして、近づいた。彼女は、感動して、君に恋をし、全てを許した。だが、君の本心を知って、絶望し、自殺した。そうなんだな？」

「自殺するとは、思わなかったんだ」

伊知地が、重い口調で、いった。

「それから、君は、償いの気持で、小笠原真二の事件を調べ、その年、宮城刑務所に、面会に行った」

「調べれば調べるほど、小笠原真二は、罠にはめられたんだと思った」

「そして、真犯人は、宗方功か？」

「他に考えられなくなった」

と、伊知地は、いった。

「その後を聞きたい」

と、十津川は、いった。

伊知地は、じっと、睨むように、十津川と、亀井を見ていたが、

「だが、いくら、僕が一人で動き廻ったって、小笠原を、出所させることは出来やしなかった。彼が所属する日本将棋連盟も、彼を救う考えはなかった。当然なんだ。小笠原は、有罪

判決を受けている。それを支援することは、団体として、命取りになるからね。このままでは、僕には、償いが出来ない。それで、小笠原を説得して、模範囚として、一刻でも早く出所しろといった」

「出所したあとは？」

と、亀井が、きいた。

「小笠原真二に、何が望みだと聞いてみた。彼は、こういった。おれを刑務所に入れた宗方功に、復讐したいと」

「復讐か」

と、十津川は、呟やき、亀井は、

「そんなことは、やめろと忠告しなかったのか？」

「僕に、そんなことの出来るわけがないだろう？」

「なぜ？」

「僕は、自殺した彼女の墓前で誓ったんだ。出所した小笠原真二のため、彼が望むことを、助けるとね」

「それで、君と小笠原が組んだ復讐劇が、始ったというわけか」

「僕は、宗方が、中学生の時、幼女に乱暴していたことを調べあげた。そこで、その衝動が、再発したことにしてやろうと考えた。三年前、宗方の住所の近くで、連続幼女暴行事件を起こして、宗方が、怪しいと、いうことにした」

「やったのは、小笠原真二だね？」

「彼は、宗方を、刑務所に放り込むためなら、何でもすると、いった」

「だが、三年前には、宗方を、犯人に出来なかった？」

「そうだ。僕は、週刊オピニオンで、宗方が、幼女に暴行している、それは、中学時代からの彼の性癖だというキャンペーンを張ろうとしたが、上から拒否され、その揚句《あげく》、馘になってしまった。そのあと、僕は、コネなどを使って、何とか、マスコミに残ろうとした。マスコミの力を借りないと、宗方を追い込めないと、思ったからだ。それで、何とか、週刊日本に入ることが出来た」

「小笠原は、何をしていたんだ？」

と、亀井が、きいた。

「働いた」

「働いた？」

「とにかく、金が必要だったからだ。とにかく、宗方の持っている車と同じものを買うにも、金が、必要だからね」

「それで、三年後に、今度は、連続幼女殺人か？」

十津川が、きく。

「ただの暴行事件では、今の時代、インパクトが小さくて、マスコミが、飛びついて来ないからだ。だから、小笠原は、幼女を暴行し、殺すことに走った」

と、伊知地は、いった。

「そんなことをしていいと、思ったのか？　それでは、正義の回復なんてことは、嘘《うそ》っ八《ぱち》になるじゃないか」

十津川は、怒りを籠《こ》めて、いった。

だが、伊知地は、

「正論だから、納得できるわけじゃない。人間は理屈で、動くものじゃない。感情で動くものだよ」

と、いった。

「それが、君と、小笠原が、自分たちの行動を正当化する理屈か」

十津川は、腹立たしくなってきた。

だが、伊知地は、平然とした表情で、

「僕たちは、僕たちの正義を、実現することだけを、考えていた」

と、いった。

「戸倉上山田温泉まで、宗方を追っかけて行って、向うでも、幼女殺人を引き起こした――」

「彼を、刑務所へ放り込むためなら、何でも、やる気でしたよ」

「長野県警に、宗方が犯人だという密告電話をかけたのも君か？」

「変声器を通してね」

「柴田名人を、エア・ガンで、狙ったのも君か？」

「宗方が、卑怯な男で、勝つためなら、何でもやる人間だと思わせるためにね」

「わからないのは、二日目に、宗方が、悪手を指して、逆転負けをしてしまったことなんだ。誰かが、手紙を彼の部屋に置き、宗方は、それを読んで、動揺したということはわかったんだが、幼女殺人は、お前が犯人だと書いても、彼は、やってないんだから、動揺する筈がない。君は何を書いたんだ？」

十津川が、きいた。

「あれは、お前が中学の時、幼女に、いたずらをしているのを知ってるぞと、書いたんだ。名人になっても、それが、致命傷になるぞとね」

と、伊知地は、いった。

7

「芸者ぼたんを、誘拐し、監禁したのも、お前だな？」

と、亀井が、決めつけるように、いった。

「宗方を、追いつめる必要があったんだ」

「シルバーメタリックのベンツは、二台あったんだな?」

「小笠原が、金を貯《た》めて買ったんだ。宗方を、幼女殺人の犯人に仕立てるために、どうしても必要な小道具だった」

と、伊知地は、いった。

「それでも、宗方を、連続幼女殺人の犯人に出来なくて、結局、芸者ぼたん殺しの犯人に仕立てあげた。宗方が、急に、帰京することになったのは、君のやったことか?」

と、十津川が、きいた。

「長野県警が、これから、君を逮捕しに行くぞと、電話で脅したんだ。小笠原は、トラックを盗み出して、草津道路の長野原近くで、待ち伏せしていた」

「あとのことは、想像がつくよ。君たちは、トラックで、衝突寸前まで接近して脅し、宗方は、運転を誤って、路肩から、落ち、車は、横転した。そこで、芸者ぼたんの首を絞めて殺し、気絶している宗方の顔に、ぼたんの爪で引っかき傷をつくり、車を引き起こし、車体をきれいに、拭《ふ》いておいた。そうなんだろう?」

と、十津川が、きく。

「とにかく、宗方を逮捕させることに、成功したんだ」

と、伊知地は、いった。

「君を逮捕する」

と、十津川は、いった。

「何の罪で？」

「芸者ぼたんに対する誘拐、監禁。それと、殺人の共犯だ」

と、十津川は、いった。

緊急逮捕して、捜査本部に連行し、十津川は、改めて、小笠原真二の行方を問いただした。

「今は、いえない」

と、伊知地は、いう。

「いつになったら、いえるんだ？」

と、十津川が、きくと、伊知地は、なぜか、

「書くものが欲しい。便箋《びんせん》と封筒、それに、ボールペンが欲しい」

と、いった。

それを与えると、伊知地は、留置場で、何か、熱心に書いていた。

そして、翌朝、彼が舌を嚙み切って、死んでいるのが発見された。

血まみれの死に顔は、凄絶だった。死体の傍には、十津川宛の遺書が、置いてあった。

〈十津川警部様

復讐が恐しいのは、自分自身も、化け物になってしまうことです。

相手を殺人犯人に仕立てるためには、まず、自分が人殺しをしなければならない。

平静な精神なら、恐しい矛盾だとすぐわかるのだが、私も、小笠原も、平静ではなかった。

特に、小笠原は、どんな恐しいことをしても、宗方を、殺人犯にしようとした。それは、六年間の刑務所生活の怨念だったに違いありません。

そして、一番恐しいのは小笠原が、とてつもない化け物になってしまったことです。宗方を犯人にするために、幼女を殺したのに、二人目ぐらいから、小笠原は、幼女を殺した瞬間、甘美な愉悦を感じるようになってしまったのです。

それが、小笠原の生れつきのものなのか、一人、二人と殺している間に、生れてきたものなのかは、私にもわからない。ただ、彼が、彼自身でも、制御できない化け物になってしまったことだけは、事実です。

このままでは、宗方を刑務所に放り込んだあとでも、小笠原は、誘惑に負けて、幼女を襲ってしまうかも知れない。

そんな小笠原にしたのは、私の責任でもあります。その責任を取らなければならない。

宗方が、殺人容疑で逮捕され、二人で、祝杯をあげた時、彼のコップに、青酸を入れました。

彼の死体は、草津温泉近くの山の中に、横たわっています。

私の遺骨は、許されるなら、自殺した小笠原かおりの傍に、葬って欲しいと願います。

伊知地〉

小笠原真二の遺体は、伊知地の遺書にあった通り、草津温泉近くの山の中で、発見された。

「終りましたね」

と、亀井が、小さく溜息をついた。

「終ったな」

「宗方功は、どうなるんですかね？」

「この遺書が、公けになれば、彼は、当然、釈放されるだろう」

と、十津川は、いった。

「遺書が公けにならず、私たちが、沈黙を守れば、宗方は、釈放されないかも知れませんね」

「かも知れないな」

「十四年前の事件のことを思うと、このまま、宗方を刑務所に放り込みたい誘惑にかられますね」

亀井が、いった。

「カメさんには、出来ないさ」

と、十津川は、いった。

（この作品はフィクションですので、登場する人物、団体は、実在するいかなる個人、団体とも関係ありません。）

解説

郷原　宏

西村京太郎氏が長編第一作『四つの終止符』（一九六四）をひっさげて文壇に登場してから、今年で三十六年になる。三十六年といえば、その年に学校を卒業して会社へ入った人がぼつぼつ定年を迎えようかという長い歳月である。年々歳々人同じからず。その間に人も変われば社会も変わった。小説をめぐる環境も大きく変化した。しかし、西村氏はその全期間を通じて常に最も意欲的なミステリー作家であり、また最も多産なベストセラー作家でありつづけた。したがって、いま西村氏について語ることは、そのまま二十世紀後半の日本ミステリー史を語ることだといっても過言ではない。

パブロ・ピカソの絵に「青の時代」「薔薇色の時代」「キュビスムの時代」「シュルレアリスムの時代」といった時代区分があるように、西村氏の小説も、そのテーマや形式によって、およそ四つの時代に区分してみることができる。もとよりこの区分は相対的かつ便宜的なものにすぎないが、著書がすでに三百冊に達した現在、その作品史を通観するうえで、一応の目安にはなるはずである。

第一期は「社会派の時代」である。西村氏が登場した六〇年代前半は、松本清張と社会派ミステリーの全盛時代だった。デビュー作『四つの終止符』や第十一回江戸川乱歩賞受賞作『天使の傷痕』（六五）には、社会派の影響が色濃く表れている。これがいわば西村氏の作家としての原点であり、犯罪の動機や社会的背景を重視し、弱者や被差別者に温かい眼差しを向ける作風は、その後も一貫して変わらない。

だが、方法としての「社会派の時代」は、長くはつづかなかった。西村氏はその理由を「作家としての社会参加のあり方に限界を感じたからだ」と語っているが、それはすでに形骸化してミステリー本来の面白さを失ってしまった社会派に対する訣別の宣言でもあったに違いない。したがって、西村氏は社会派の最終走者であると同時に、それにつづく新社会派（＝新本格派）の第一走者でもあったということができる。

第二期は「未来派の時代」である。この時期、すなわち六〇年代後半には、西村氏はほとんど推理小説を書いていない。長編でミステリーと呼べるのは、わずかに六六年のスパイ小説『D機関情報』だけで、翌六七年には「二十一世紀の日本」をテーマにした『太陽と砂』が発表される。六八年には著書が一冊もなく、六九年になってやっと『おお21世紀』が刊行されるが、これは文字通り二十一世紀のサラリーマン一家の生活を軽妙なタッチで描いたSF風ホームドラマである。この時期の低迷について、西村氏はのちに短編集『カードの城』

（七八）のあとがきで、こう述懐している。

《私は、昭和四十年に江戸川乱歩賞を貰ったのだが、本になったものを読み返してみて、自分の下手さ加減にあきれ、もう一度、勉強し直そうと考えた。

ところが、純文学の同人誌は数多いが、大衆文学の同人誌やグループとなると、殆どないといってよかった。そんな中でこれはと思ったのが新鷹会《しんようかい》である。新鷹会は、長谷川伸を中心に、主として時代物を書く作家が集まる勉強会として発足し、長谷川伸の死後も続いている》

苦節十年の投稿生活の末にようやく乱歩賞の金的を射止めた作家が「自分の下手さ加減にあきれ、もう一度、勉強し直そう」と決意するなどということは、今日では——というより西村氏以外にはちょっと考えられないことだといっていいが、その勉強の成果は、早くも七〇年に私家版（！）の短編集『南神威島《みなみかむいとう》』となって表れる。その表題作「南神威島」は、のちの『鬼女面殺人事件』（七三）、『幻奇島』（七五）など一連の「島」シリーズの先駆けともいうべき重要な作品である。その意味で、西村氏の「未来派の時代」は、ピカソの「薔薇色の時代」と同じく大きな飛躍のための準備期間だったといえるかもしれない。

第三期は「海の時代」である。七〇年代に入ると、西村氏はまるで堰を切ったように矢つぎばやに海と船を舞台にした力作を発表する。すなわち七一年には『ある朝　海に』『脱出』『悪への招待』『汚染海域』が、七二年には『ハイビスカス殺人事件』『伊豆七島殺人事件』

が書かれる。そして七三年には、いよいよ十津川警部（最初は警部補）の記念すべきデビュー作『赤い帆船《クルーザー》』が登場して、「海の時代」はクライマックスを迎える。

この時期には、西村山脈の一方の名山ともいうべき『名探偵なんか怖くない』（七一）、『名探偵が多すぎる』（七二）、『名探偵も楽じゃない』（七三）とつづく「名探偵」シリーズが書かれ、また『殺しの双曲線』（七一）、『日本ダービー殺人事件』（七四）といった秀作もあるのだが、それはいわば「キュビスムの時代」に「新古典主義」の作品がまぎれこんだようなもので、質量ともに海洋ミステリーが他を圧倒している。

七〇年代後半に入ると、西村ミステリーは海から陸へ上がり、第四期「トラベルミステリーの時代」が幕をあける。その先陣を切ったのは『消えた巨人軍《ジャイアンツ》』（七六）、『華麗なる誘拐』（七七）、『ゼロ計画を阻止せよ』（七七）とつづく私立探偵左文字進シリーズだが、勝勢を確立したのは何といっても「海のエース」だった十津川警部が「陸のエース」に変身して『寝台特急《ブルートレイン》殺人事件』（七八）、『夜間飛行《ムーンライト》殺人事件』（七九）、『終着駅《ターミナル》殺人事件』（八〇）とつづく鉄道関連の難事件を解決してからのことである。だから、ここではそれを「鉄道の時代」と呼ぶことにしよう。

この「鉄道の時代」の開幕には、あるエピソードが隠されている。それまでの西村氏は「小説はうまいのだが、なぜか売れない」といわれる地味な作家で、出した本はすべて初版止まりだった。それでも何とか書きたいものを書かせてもらっていたが、ある日、あまりの売れゆき不振に業を煮やした編集者から「今度は事前に企画書を出してほしい」といわれてしまった。そこで昭和七年の浅草を舞台にした人情物と、当時ブームになりつつあったブルートレインを扱った鉄道物の二本の企画案を提出すると、一も二もなく鉄道物のほうが採用された。こうして第二の出世作『寝台特急殺人事件』が書かれ、それがベストセラーとなり、やがて空前のトラベルミステリー・ブームを作り出していく。もしそのとき浅草物のほうが採用されていたら、西村氏は今でも「A級（永久）初版作家」などと呼ばれていたかもしれない。

「鉄道の時代」以後の十津川警部シリーズは『特急さくら殺人事件』（八二）、『四国連絡特急殺人事件』（八三）、『L特急踊り子号殺人事件』（八四）などの「列車」「本線」物のほかに、「殺人ルート」「駅」「殺意の旅」「消えた女」などのサブシリーズを次々に生み出しながら、発車から二十数年たった今もなお全速で走りつづけている。この「ミステリー列車」がどこへ行きつくかは、とにかく切符を買って乗ってみなければわからない。

さて、この『十津川警部　千曲川に犯人を追う』は、「小説現代」に九七年六月号から八月号まで三回にわたって連載されたあと、同年十月に講談社ノベルスの一冊として刊行された。題名のとおり、十津川警部と亀井刑事が連続幼女殺人事件の容疑者を追って長野県の戸倉上山田温泉、更埴市、上田市など千曲川の流域を駆け回るというトラベルミステリーの力編である。

私見によれば、この作品には、ここで内容をバラしてしまうわけにはいかないフーダニット（犯人探し）&ホワイダニット（動機探し）ミステリーとしての抜群の面白さのほかに、およそ三つの読みどころがある。

ひとつは、北陸（長野）新幹線の開業を目前にひかえた時代の沿線の風景が活写されていることである。周知のように十津川警部シリーズは、旧国鉄の「ディスカバー・ジャパン」キャンペーンに象徴される旅行ブームと軌を一にして書きつがれてきた。だから、そこに出てくる鉄道の描写はそのまま二十世紀後半の日本鉄道史になっているといっていいが、そうした歴史ドキュメンタリーとしての強みは、ここでも遺憾なく発揮されている。

たとえば第一章「幼女殺し」の中ほどに、《上田市の中心地区は、古い建物が多く、さして、変化は見せていないが、十月一日に開業する北陸（長野）新幹線の上田駅周辺は、大きく変りかけている。それは、十津川の眼には、楽しい変化には、見えなかった》という記述がある。めったに社会批判を口にしない十津川警部（＝作者）の、これはめずらしい辛口コメントといえるだろう。

第二の読みどころは、将棋の名人戦と並行して事件が進行し、盤面の緊迫感がそのまま物語のスリルを盛り上げていることである。将棋や囲碁をテーマにしたミステリーは、斎藤栄、内田康夫、深谷忠記氏などに先例があるが、十津川警部シリーズと将棋の取り合わせは大変珍しい。もっとも十津川警部はまったくの将棋オンチ、亀井刑事も駒の動かし方を知っている程度の初心者らしいが、にもかかわらず、あるいはむしろそれゆえに、対局場の張りつめた雰囲気が手に取るように伝わってくる。それだけをもってしても、本書はシリーズ中の異色作といえるだろう。

第三の読みどころは、十津川警部と亀井刑事がずっと長野、群馬県下の温泉地に腰を据えたまま、電話で部下を指揮する「移動捜査本部」とでもいうべき形式になっていることである。日本の警察は属地主義だから、警視庁の刑事が管轄外の土地で捜査活動を行なうにはさまざまな制約が伴うのだが、作者はそれを県警との捜査協力ないしは捜査共助というかたちでうまくクリアして、十津川たちを自由に動き回らせることに成功している。おかげで私たちは、十津川自身の地道な捜査活動に随伴すると同時に、電話一本で起動する十津川チームのフォーメイション・プレイを堪能することができる。これこそまさしく警察捜査《ポリス・プロシーデュラル》小説の醍醐味といえるだろう。

こういう読みどころの多い作品を読むたびに、西村京太郎氏と同じ時代に生まれ合わせた読者の幸運を感謝せずにはいられない。

この作品は一九九七年十月に講談社ノベルズとして刊行されました。

十《と》津《つ》川《がわ》警《けい》部《ぶ》 千《ち》曲《くま》川《がわ》に犯人《はんにん》を追《お》う

西村《にしむら》京《きょう》太《た》郎《ろう》

© Kyotaro Nishimura 2000

講談社文庫
定価はカバーに
表示してあります

2000年7月15日第1刷発行

発行者――野間佐和子

発行所――株式会社 講談社

東京都文京区音羽2-12-21 〒112-8001

電話 出版部 (03) 5395-3510
販売部 (03) 5395-3626
製作部 (03) 5395-3615

Printed in Japan

デザイン―菊地信義
製版――大日本印刷株式会社
印刷――凸版印刷株式会社
製本――株式会社国宝社

落丁本・乱丁本は小社書籍製作部あてにお送りください。送料は小社負担にてお取替えします。なお、この本の内容についてのお問い合わせは文庫出版部あてにお願いいたします。 (庫)

ISBN4-06-264939-X

本書の無断複写(コピー)は著作権法上での例外を除き、禁じられています。

講談社文庫刊行の辞

二十一世紀の到来を目睫に望みながら、われわれはいま、人類史上かつて例を見ない巨大な転換期をむかえようとしている。

世界も、日本も、激動の予兆に対する期待とおののきを内に蔵して、未知の時代に歩み入ろうとしている。このときにあたり、創業の人野間清治の「ナショナル・エデュケイター」への志を現代に甦らせようと意図して、われわれはここに古今の文芸作品はいうまでもなく、ひろく人文・社会・自然の諸科学から東西の名著を網羅する、新しい綜合文庫の発刊を決意した。

激動の転換期はまた断絶の時代である。われわれは戦後二十五年間の出版文化のありかたへの深い反省をこめて、この断絶の時代にあえて人間的な持続を求めようとする。いたずらに浮薄な商業主義のあだ花を追い求めることなく、長期にわたって良書に生命をあたえようとつとめるところにしか、今後の出版文化の真の繁栄はあり得ないと信じるからである。

同時にわれわれはこの綜合文庫の刊行を通じて、人文・社会・自然の諸科学が、結局人間の学にほかならないことを立証しようと願っている。かつて知識とは、「汝自身を知る」ことにつきていた。現代社会の瑣末な情報の氾濫のなかから、力強い知識の源泉を掘り起し、技術文明のただなかに、生きた人間の姿を復活させること。それこそわれわれの切なる希求である。

われわれは権威に盲従せず、俗流に媚びることなく、渾然一体となって日本の「草の根」をかたちづくる若く新しい世代の人々に、心をこめてこの新しい綜合文庫をおくり届けたい。それは知識の泉であるとともに感受性のふるさとであり、もっとも有機的に組織され、社会に開かれた万人のための大学をめざしている。大方の支援と協力を衷心より切望してやまない。

一九七一年七月

野間省一

講談社文庫 最新刊

西村京太郎　十津川警部 千曲川に犯人を追う
幼女連続殺人事件の容疑者は名人戦を戦うプロ棋士。彼は本当に犯人なのか？ 傑作推理。

島田荘司　島田荘司読本
御手洗潔の父・直俊の若き日を描く書き下ろし小説・全著作ガイド等、ファン必携の一冊。

小野不由美　東の海神《わだつみ》 西の滄海〈十二国記〉
廃墟と化した国土復興を図る雁国の王と麒麟の命運とは。壮大なるファンタジーロマン。

藤田宜永　樹下の想い
花材職人と華道家元令嬢が二十余年、思いやり求めあった秘めたる激情、究極の恋愛小説。

吉川英明　水よりも濃く
アルコール依存症の妻と愛人の間で男心は揺れ動く。愛のあり方を問う衝撃的恋愛小説。

宮本昌孝　尼首二十万石
幕府の駈込寺潰しの暗闘と柳沢家の秘事に巻きこまれる表題作など、傑作六編の時代小説。

内田洋子　シルヴェリオ・ピズ　ウーナ・ミラノ〈Una Milano〉
人気の街・ミラノの、住んでる人しか知らない楽しみ方を24時間にわたり紹介するエッセイ。

下川裕治 ほか　アジア大バザール
切なくて温かい！ バックパッカー、定住者、はまり組、旅の達人たちが描くアジアの物語。

浅川博忠　小説 池田学校
「吉田学校」と並ぶ保守本流の権力ドラマ。戦後政治と財政の裏面を描く渾身の書き下ろし。

山田智彦　城盗り秀吉
藤吉郎の出世の陰で活躍した山の民・天狗党にさらに風魔も加わり、「城盗り」が一層進む。

池波正太郎　新装版 緑のオリンピア
視力を失った青年の葛藤と成長を描く「眼」をはじめ、若き日の池波が描いた傑作短編集。

講談社文庫 最新刊

真保裕一 防壁
要人警護の実態を圧倒的ディテイルで描く表題作他、生命懸けで危険と戦う男たちの物語。

野沢尚 破線のマリス〈第43回江戸川乱歩賞受賞〉
TVニュース番組の映像編集者を待ち受ける視覚の罠!? 超一級のフー&ホワイダニット。

森博嗣 まどろみ消去〈MISSING UNDER THE MISTLETOE〉
消えた30人のインディアンの謎(「誰もいなくなった」)他、アイディアあふれる11の短編集。

有栖川有栖 篠田真由美 二階堂黎人 法月綸太郎 「Y」の悲劇
ミステリ界の気鋭が不朽の名作「Yの悲劇」を讃える競演。文庫書き下ろしアンソロジー。

二階堂黎人 私が捜した少年
世界一孤独な私立探偵・渋柿信介の華麗なる大活躍。傑作ハードボイルド・ミステリー。

松浪和夫 摘出
移植手術後、急死した新聞記者。その死に隠された秘密とは!? 衝撃の医療サスペンス。

リー・チャイルド 小林宏明 訳 キリング・フロアー(上)(下)
平和な田舎街で起こった連続殺人。壮絶な暴力シーンで幕を開ける。〈アンソニー賞受賞作〉

スジャータ・マッシー 矢沢聖子 訳 雪 殺人事件
サラリーマンの妻殺しを追うレイに迫る魔手。日本が舞台の本格推理。〈アガサ新人賞受賞作〉

ケイト・ロス 吉川正子 訳 マルヴェッツィ館の殺人(上)(下)
19世紀北イタリアを舞台に起きた殺人事件に英国貴族ジュリアンが挑む。〈アガサ賞受賞作〉

篠田真由美 玄《くろ》い女神〈建築探偵桜井京介の事件簿〉
インドでの不審死の真相を解くため群馬山中の「館」に集う男女。だが、さらなる悲劇が!

折原一 101号室の女
張りめぐらされた伏線、読者を欺く驚天動地の結末……折原魔術を駆使した傑作九編を収録。